C'EST QUI LE PLUS FORT ?

Publié pour la première fois aux États-Unis en 2009 sous le titre *Who Would Win ?* par Metro Books (122, Fifth Avenue, New York, NY 10011) par l'intermédiaire de Quirk Packaging, Inc. 55, Washington St. Suite 804, Brooklyn, NY 11201.
© 2009 by Quirk Packaging, Inc.
Justin Heimberg affirme son droit moral à être reconnu comme l'auteur de cette œuvre.
Cet ouvrage a été négocié par l'agence littéraire Sea of Stories, www.seafofstories. com, sidonie@seaofstories.com

© Hachette Livre (Marabout), 2010 pour la traduction et l'édition françaises.
Traduit de l'anglais (États-Unis) par Anne-Claire Levaux.

Justin Heimberg

C'EST QUI LE PLUS FORT ?

Le guide des plus grands combats imaginaires

MARABOUT

Table des matières

Chapitre 1
ARTS ET LITTÉRATURE
॥

Chapitre 2
SPORTS ET LOISIRS
3।

Chapitre 3
HISTOIRE ET POLITIQUE 73

Chapitre 5
SCIENCE ET NATURE

Comment utiliser ce livre ?

Dans ce livre, vous trouverez des propositions amusantes et perspicaces de duels imaginaires. Toujours objectif, cet ouvrage offre des arguments à chacun des deux camps, ainsi que des informations anecdotiques, des chiffres ou d'autres détails pour vous aider à soupeser et à étudier les concurrents en jeu sous toutes les coutures. Les adversaires peuvent être aussi bien réels qu'imaginaires, il peut s'agir de dieux immortels ou d'objets du quotidien. Tous sont soumis à des batailles, des combats, des compétitions et des comparaisons hypothétiques.

C'est qui le plus fort ? est un tremplin, une manière d'entamer la discussion. Les arguments proposés ont toutes les chances d'entraîner des débats vifs et endiablés sur des sujets futiles. En effet, nous avons tous besoin de nous changer des discussions habituelles traitant de thèmes sérieux (religion, politique, actualités, etc.) et de consacrer notre énergie et notre pouvoir de persuasion à des choses légères et plus originales.

Vous pouvez parfaitement découvrir ce livre seul, mais il est encore plus intéressant de le parcourir en groupe. Très vite, l'esprit de compétition s'installe, les débats commencent et les opinions de chacun se révèlent. Évidemment, ces discussions peuvent dégénérer et il est possible qu'un vase traverse la pièce au cours d'une dispute au sujet de la supériorité de Capitaine Kirk sur Capitaine Picard…

C'est qui le plus fort ? est également truffé de petits encadrés présentant des événements méconnus bien que passionnants (*Le saviez-vous ?*), de petits quiz et d'autres ingrédients pour alimenter les débats (*Débats rapides, Pour aller plus loin*). Au final, ce livre vous garantit des heures et des heures de duels endiablés.

Alors lisez, réfléchissez, réagissez et tranchez. Il n'y a pas de limites. C'est parti !

Chapitre 1

Arts
et
Littérature

MICHEL-ANGE

CONTRE

LÉONARD DE VINCI

★ Qui est ★
l'Homme
de la
Renaissance ?

MICHEL-ANGE

À 30 ans, il avait déjà créé deux œuvres considérées comme les plus belles de l'histoire de la sculpture : la *Pietà* et *David*, chefs-d'œuvre de virtuosité de la jeunesse restés inégalés jusqu'à la sortie de l'album *Thriller* de Michael Jackson quelques siècles plus tard. Mais ces œuvres ne sont rien comparées au plafond de la **Chapelle Sixtine,** de loin la fresque la plus impressionnante au monde en termes de qualité et de taille. En outre, cette fresque a été réalisée en parallèle avec une autre œuvre à laquelle l'artiste se consacrait au même moment : le tombeau du pape Jules II, sur lequel se trouve une statue peu connue représentant Moïse. Enfin, franchement, vous avez déjà vu *Mona Lisa* ? Ennuyeuse, et pas si sexy que ça…

LÉONARD DE VINCI

Léonard de Vinci est l'**Homme de la Renaissance**. Plus qu'un simple peintre, il était aussi mathématicien, ingénieur, inventeur, anatomiste, portraitiste, sculpteur, architecte, botaniste, musicien, écrivain, homme à femmes et homme de poigne. Et il excellait en tout ! On peut dire qu'il a eu autant de succès que Bill Gates qui, en plus de l'empire qu'il possède, devrait pour l'égaler sortir un single classé au Top 50, gagner plusieurs courses automobiles et dessiner une collection de vêtements. Léo a défini son époque tout en ayant une bonne longueur d'avance sur elle. Dans ses nombreux carnets (dans lesquels il écrivait «en miroir», c'est pas cool ça ?), il a dessiné des croquis d'hélicoptères, d'appareils alimentés par l'énergie solaire, de plaques tectoniques et de calculatrices. Il paraît même qu'on y a trouvé un prototype du Big Mac et les règles du football américain !

POINT D'INTERROGATION

CONTRE

POINT D'EXCLAMATION

★ Quel est ★
le meilleur
signe de
ponctuation?!

POINT D'INTERROGATION

Que dire d'un symbole qui a sans cesse besoin de crier pour se faire comprendre ? Quel vide tente-t-il de combler par tant de véhémence ?

Ne pourrait-il pas se détendre un peu ? Pourquoi être si rude et si droit ? Qu'essaie-t-il de compenser ? Ne possède-t-il pas une once de **curiosité** ? Ne se pose-t-il pas une seule petite **question** sur le monde ? Crie-t-il pour faire taire les voix douloureuses qui résonnent dans sa tête embrumée ? Ai-je été assez clair ? Ai-je marqué le point ?

POINT D'EXCLAMATION

Tais-toi, espèce de courbe stupide ! *Oh, regardez-nous, moi et mon esprit inquisiteur !* CAUSE TOUJOURS ! Hé, les majuscules, on n'a pas besoin de vous ici ! Il suffit que je me double pour donner plus **d'intensité** !! Voilà, j'ai **crié** !!! Et encore plus **fort** cette fois ! Et qu'est-ce qu'il va faire, le point d'interrogation, se doubler pour avoir l'air encore plus curieux ?? Regardez comme il a l'air stupide ! Terminé ! Virgule, prends garde, t'es la prochaine sur la liste !

POUR ALLER PLUS LOIN

Italique contre <u>Souligné</u> ?

Les deux points contre Le tiret cadratin

& contre Et ?

BOULE (SANS BILL)

CONTRE

TITEUF

★ **Quel personnage** ★
de BD moucherait
l'autre ?

BOULE

Incontestablement, sur le plan **capillaire**, Boule a tous les avantages ! Sa jolie coupe de garçonnet sympathique n'a rien à voir avec la mèche ridicule de Titeuf, qui l'empêche de revêtir le moindre couvre-chef. Ensuite, Boule n'est **pas un obsédé** du zizi sexuel, lui. Ce qui l'intéresse avant tout, c'est de s'amuser avec ses copains et son chien ; les filles, ce n'est pas encore son problème (alors que Nadia est le véritable talon d'Achille de Titeuf). Eh oui, Titeuf, je sais, c'est pô juste, mais c'est ainsi : un coup de Boule et t'es KO !

TITEUF

D'abord, Boule sans Bill est aussi intéressant qu'une marmotte en hibernation : sans sa mascotte canine, Boule ne vaut rien, alors que Titeuf se suffit à lui-même et n'a besoin de personne pour nous faire rire. Et puis, les bêtises de Boule (même avec Bill), c'est de la gnognotte par rapport à tout ce que trafique Titeuf, qui est un **vrai démon** comme on les aime, gouailleur et inventif. Enfin, soyez franc : qu'est-ce qui est le plus tordant, les blagues à deux balles de Boule ou l'obsession titeufienne pour la **zigounette** ?

QUIZ
Les titres d'albums suivants appartiennent-ils à la série *Boule et Bill* ou à *Titeuf* ?

a. *Les Copains d'abord*

b. *Mes meilleurs copains*

c. *Quel cirque !*

d. *Faut rigoler !*

e. *La Loi du préau*

f. *Le Sens de la vie*

RÉPONSE : a, c et d sont des albums de la série Boule et Bill. b, e et f sont des titres de Titeuf.

LIVRES

CONTRE

FILMS
ISSUS
DE LIVRES

★ Qui bat qui ? ★

LIVRES

Il n'y a rien de plus agréable que de se lover dans son lit avec un bon livre pour apprécier le **lyrisme** d'un auteur. Une vraie fête littéraire, sans publicités ! (Vous imaginez si la première phrase de *Moby Dick* était : « "Appelez-moi Ismaël", dit-il en déballant un Mars. » ?) Lire est une expérience bien plus **satisfaisante** que le fait de dépenser 15 euros pour un soda et du pop-corn afin de se retrouver assis au milieu d'ados gloussants et de sentir ses pieds ne faire qu'uns avec le sol gluant et collant sous le siège. La lecture permet de faire appel à cette chose qu'on appelle l'imagination, de se dire : « Tiens, je verrais bien une telle dans le rôle d'Emma Bovary ! » Les films tirés de livres ont tout de même un avantage, il faut le reconnaître : ils font vendre les livres ! D'ailleurs, quand le film est réussi, pourquoi y a-t-il tant de gens qui courent acheter le livre après l'avoir vu ? Pensez-y.

FILMS ISSUS DE LIVRES

Les films nous aident à **comprendre** toutes les nuances et les allusions présentes dans les livres, et ils permettent de survoler rapidement un bouquin tout en assurant à l'examen du lendemain matin. Autre gros avantage : à Hollywood, on choisit toujours de beaux acteurs, même pour jouer le rôle d'un paysan slave malnutri et rachitique. Quoi de plus jouissif que d'être assis confortablement et de se divertir, tout en se gavant de **cochonneries hyper sucrées** ? Vous avez déjà essayé de lire un livre en mangeant du pop-corn et en buvant un soda ? C'est impossible ! À cause du sucre, les pages se collent les unes aux autres, ou alors les pages tournent toutes seules, ou encore le livre ne tient pas debout... En plus, les livres sont bien partis pour être la prochaine espèce en voie de disparition... Peut-être que, s'ils intégraient de la pub et qu'on en diffusait des bandes-annonces, ils pourraient se refaire une place au soleil dans les grandes surfaces ?

PABLO PICASSO

CONTRE

VINCENT VAN GOGH

★ Qui est ★
le plus grand peintre
de tous les temps ?

PICASSO

Oui, Picasso était un satyre misogyne ; ce triste individu, obsédé sexuel narcissique et menteur, a trompé ses compagnes avec ses maîtresses, ses femmes avec ses modèles, ses modèles avec ses compagnes. Mais tout ce qui m'importe, à moi, c'est que ses tableaux sont magnifiques ! Il **décomposait** la peinture, la sculpture et le monde qui l'entourait pour les rassembler et en créer une nouvelle vision. Il maîtrisait tous les genres, de la critique sociale au cubisme. Les cieux tourbillonnants et les étoiles jaunes de Van Gogh ne sont pas trop mal pour illustrer des paquets de céréales ou des sets de table, mais Picasso, lui, a profondément transformé l'art. Pour le dire autrement, quand on veut signifier qu'untel n'est pas un bon peintre, la réponse la plus expressive est : « Ce n'est pas Picasso. »

VAN GOGH

Le génie et la réputation de Van Gogh ont été reconnus après sa mort, ce qui montre qu'il était en avance sur son temps (et ce qui a aussi contribué à nourrir les faux espoirs de milliers d'artistes dépourvus de talent). Ses œuvres seront bientôt vendues plus cher que celles de Picasso, dont la renommée reste la même depuis qu'il a peint sa première prostituée déformée à trois seins jouant du violon à côté d'un cheval. Certes, Picasso a eu plein d'aventures passionnées et il ressentait un amour/haine étrange pour les femmes, deux éléments qui nourrissent l'art, mais Van Gogh, lui, s'est **coupé l'oreille** ! C'est de la passion, ça !

POUR ALLER PLUS LOIN
Que préféreriez-vous ?

Un portrait de vous peint par Picasso *ou* par Van Gogh ?

Vivre dans un monde peint par Picasso *ou* par Van Gogh ?

Que le mentor de votre enfant soit Picasso *ou* Van Gogh ?

ERNEST HEMINGWAY

CONTRE

NORMAN MAILER

★ **Quel est l'écrivain** ★ **américain du XXᵉ siècle le plus macho, dépressif et autodestructeur ?**

LE SAVIEZ-VOUS ?
Détails amusants sur Ernest Hemingway

• Il fut boxeur durant sa jeunesse.

• Il a survécu à deux accidents d'avion.

• Il a suivi un traitement par électrochoc pour traiter sa dépression en 1961.

ERNEST HEMINGWAY

NORMAN MAILER

Récompensé d'un prix Nobel et d'un prix Pulitzer, Hemingway peut battre Mailer en tout : boisson, écriture, déprime. Une **sagesse tragique** émane de ses histoires et romans, sagesse acquise lors de diverses expériences (il fut notamment conducteur d'ambulance pendant la Première Guerre mondiale, reporter lors de la guerre civile espagnole et chasseur en safari ; il vécut à Paris, en Floride, aux Bahamas et dans l'Idaho). Mailer, lui, a été cuisinier dans l'armée et a passé la majeure partie de sa vie dans les quartiers chics de Brooklyn. Peut-on recevoir une décoration militaire pour avoir empilé des boîtes de conserve ? *Les nus et les morts* ressemble beaucoup à *Pour qui sonne le glas*, en moins mature. Et, au passage, Norman, ce n'est pas une apparition dans la série *Gilmore Girls* qui va renforcer ta crédibilité artistique…

Mailer a eu neuf enfants, de cinq femmes différentes. Habituellement, les relations instables marquées par la drogue sont plutôt le fait des joueurs de basket de la NBA… Écrire par phrases courtes dans un langage simple, comme Hemingway, n'a rien de bien extraordinaire ; c'est ce que font des millions d'enfants de 10 ans tous les jours à l'école, non ? La différence, c'est que les rédactions intitulées «Mes vacances d'été» ne parlent pas de combats de taureaux, ni d'autodestruction par l'alcool ou de drague à tour de bras. Même si Mailer a passé la majorité de sa vie à New York, il a intelligemment mis son temps à profit et a lancé l'hebdomadaire branché *The Village Voice*. Et au fait, Ernie, tu as vu qui a gagné un second **prix Pulitzer** ? Oh, et qui a mordu l'oreille de l'acteur Rip Torn ? Alors, c'est qui le Mailer ?

VERDANA

CONTRE

TIMES
NEW ROMAN

★ **Quelle est** ★
la plus belle police ?

VERDANA

On pourrait reprendre le rythme de *Susanna* d'Art Company, pour composer une chanson vantant les mérites de cette police. Ses caractères respirent, ils ont de l'espace en eux et entre eux. Cette typo est sans serif, c'est-à-dire sans empattements – ces petites extensions qui terminent les caractères. Elle est donc simple et efficace. C'est la police de notre époque, créée spécialement pour être lue à l'écran. Elle se lit aussi bien en 8 points qu'en 12. TNR (Times New Roman) est DNR (*do not resuscitate*, ne pas réanimer).

TIMES NEW ROMAN

Simple, fonctionnelle, respectueuse, Times New Roman est LA police par excellence. Ses empattements ne sont pas que décoratifs, attention ! Ils constituent une sorte de guide, et facilitent la lecture en évitant que l'œil reste coincé entre deux lettres. De plus, ils aident à distinguer les lettres les unes des autres. Et ne me dites pas que « Verdana se lit mieux sur un écran ». C'était peut-être le cas à l'époque des premiers ordinateurs, mais les écrans modernes affichent les polices aussi clairement que sur une feuille, ce qui rend les polices comme la Verdana complètement obsolètes.

POUR ALLER PLUS LOIN

Arial *contre* **Garamond**

Comic Sans MS *contre* **Goudy Old Style**

11 points *contre* **12 points**

OPÉRA

CONTRE

BALLET

★ Quel est ★
le spectacle
le plus captivant ?

OPÉRA

Qui peut résister au chant de Madame Butterfly éperdue d'amour et de chagrin devant son officier américain ? L'air du toréador de *Carmen* n'est-il pas dans toutes les têtes ? **L'opéra emporte**, l'opéra bouleverse, l'opéra émeut. Nul besoin d'être un fin connaisseur pour vibrer en entendant la complainte déchirante de la jeune Mimi dans *La Bohème*. Et quel spectacle peut s'enorgueillir de remplir le Stade de France, avec ses 80 000 places ? Sûrement pas un ballet avec ses danseurs en collants gesticulant de façon ridicule. Le **succès** est toujours au rendez-vous avec des opéras tels que *Carmen*, *Nabucco* ou *Aïda*, grandes fresques mêlant effets de lumière, décors et costumes majestueux et beauté de la musique !

BALLET

Quoi de plus soûlant qu'une représentation de deux heures au cours desquelles vos oreilles sont vrillées par les voix puissantes des ténors et des sopranos qui chantent dans une langue étrangère ? Impossible même de piquer un petit somme discret ! En plus, la plupart du temps, les interprètes sont gros et dépourvus de sex-appeal (c'est un euphémisme…). Alors que, dans un ballet, non seulement vous êtes captivé par les **prouesses** des interprètes, mais en plus ils sont beaux, gracieux et donnent l'impression à quiconque que la **gravité** peut être défiée. Au vestiaire, la Castafiore

---

LE SAVIEZ-VOUS ?

Le célèbre compositeur d'opéras bouffes Gioacchino Rossini (auteur notamment du *Barbier de Séville*) était également un hédoniste, amoureux de la bonne chère. À Paris, il avait sa table attitrée à *La Tour d'Argent*, chez *Bofinger* et à *La Maison dorée*, dont le chef, Casimir Moisson, lui aurait dédié une création, le tournedos Rossini, à base de bœuf, de foie gras et de truffes.

• DÉBATS RAPIDES •

JETEZ-VOUS À L'EAU :

CLASHS CULTURELS

Jusqu'à présent, nous vous avons fourni les arguments. C'est maintenant à votre tour de montrer vos capacités d'argumentation. Trouvez un adversaire de taille, choisissez votre camp et préparez-vous à la bataille.

★ Qui sortira vainqueur ★ de ces débats brillants ?

L'Ancien Testament contre Le Nouveau Testament

Pierre Desproges contre Raymond Devos

Les Misérables contre *Notre-Dame de Paris* (de Victor Hugo)

Calvin et Hobbes contre Snoopy et Charlie Brown

Hermione Granger contre Éowyn

Les Raisins de la colère contre *Gatsby le magnifique*

Hans Christian Andersen contre Lewis Carroll

Scrabble® contre Pictionary®

Dickensien contre Kafkaïesque

Julien Sorel contre Rastignac

Haïku contre Alexandrins

Le Point contre *L'Express*

Platon contre Socrate

La Fontaine de Duchamp contre *Campbell's Soup Cans* d'Andy Warhol

Monet contre Manet

Zola contre Balzac

Chapitre 2

Sports et Loisirs

NATATION

CONTRE

JOGGING

★ **Quel est** ★
le meilleur sport
à pratiquer ?

NATATION

La natation est **le sport le plus complet** qui soit et le plus recommandé par le corps médical. Elle permet de solliciter ses muscles en douceur : aucun risque d'avoir mal au genou le lendemain d'une séance d'entraînement, contrairement à la course à pied… Vous avez des problèmes de dos ? Pratiquez régulièrement le dos crawlé et vous oublierez vite vos douleurs lombaires. En plus de **muscler harmonieusement le corps** et de sculpter une silhouette de sirène ou d'athlète, la natation détend l'esprit et fait s'envoler tous vos soucis. Et puis, en piscine couverte, qu'il pleuve, qu'il vente ou qu'il neige, vous n'aurez pas d'excuse pour ne pas faire de sport alors que c'est si simple de se soustraire au jogging ! Bref, quoi de plus facile que de plonger dans le grand bain pour noyer son stress et couler ses kilos en trop ?

JOGGING

C'est bien joli tous les compliments qu'on fait sur la natation, mais encore faut-il se mettre à l'eau ! Que celui ou celle qui n'a jamais renoncé à aller à la piscine en dépit de ses bonnes résolutions lève le doigt ! Personne ? Oh, c'est étonnant ! Pourtant c'est si agréable de passer par un pédiluve plein de germes suspects, de se cailler dans les longs couloirs carrelés, de s'épiler impeccablement à chaque fois (pour les filles !) ou de subir la torture du bonnet serré à enfiler (pour tous !)… Rappelez-vous, pour le jogging, il suffit d'**une paire de baskets** et de sortir de chez soi… Après ça, à vous de faire votre choix !

BIÈRE

CONTRE

VIN

★ Quelle est ★
la meilleure boisson ?

BIÈRE

Salut, ça va ? T'as vu le match hier soir ? Ça craint ! Heureusement que je suis là ! Quoi de mieux que de passer une bonne soirée entre amis en descendant quelques pintes fraîches avant d'aller danser et draguer ? (Tope là !) Pour le dire simplement : **j'assouvis ta soif, je noie tes soucis et je te donne confiance en toi.** Le trio gagnant, quoi ! Franchement, qu'est-ce que tu as d'autre comme possibilité ? Regarder les Bleus jouer en sirotant un verre de Sauvignon ? Ça m'étonnerait !

VIN

Bonsoir... Si je peux me permettre, je ne suis pas une boisson abrutissante, mais l'**élément essentiel d'une expérience gastronomique**. Je complète élégamment des saveurs qui se dégustent. J'excite le palais et les papilles, même lorsque je ne suis que l'un des instruments d'une sonate culinaire. De plus, je suis riche en antioxydants (polyphénols, resvératrol, proanthocyanidines), substances bonnes pour la santé et la longévité. Historiquement, je suis la boisson des rois et des rites. La bière, elle, est la boisson des... comment dire... piliers de bar ? Jésus n'a pas transformé l'eau en bière, n'est-ce pas ? (Petit gloussement de contentement...)

POUR ALLER PLUS LOIN
Quelle boisson accompagne le mieux les plats suivants : la bière ou le vin ?

- Une pizza

- Un rôti de bœuf

- Un poisson sauce piquante

- Un bol de Chocapic, le jour où vous vous êtes fait virer et où votre femme vous quitte

- Votre dernier repas

OBÉLIX

CONTRE

PAC-MAN

★ Qui gagnerait ★ le championnat du plus gros mangeur ?

JOKER
Extrait De Pac-Man : *La Biographie Interdite*

Sans cesser de manger, Pac-Man fuit, l'esprit embrumé, plein de points et d'ombres. Il s'en remet désormais à son instinct et parcourt ce labyrinthe infernal avec frénésie, cherchant à en sortir. Il est poursuivi par Blinky, un fantôme bien vivant au regard vitreux, avide de mort. Mais soudain, en un instant, la situation s'inverse. La nuit fait place au jour, la lumière à l'ombre. Le petit glouton a atteint son but : il a attrapé la super pac-gomme, et le pourchassé devient le chasseur.

OBÉLIX

Obélix n'a peut-être pas le droit de boire la potion magique, mais manger, ça, il peut ! Et il ne s'en prive pas, surtout quand il y a des **sangliers rôtis** au menu. Souvent insatiable, **vorace**, il ne pense qu'à la nourriture. Et autrement plus consistante que des fruits et des fantômes, attention ! Certes, il n'est pas du genre à manger des objets, il est trop gourmand pour cela, mais, honnêtement, vous pensez que la petite balle jaune serait capable de manger ne serait-ce qu'une cuisse de sanglier sans s'étouffer ?

PAC-MAN

Pac-Man **mange tout et n'importe quoi**. Pac-gommes, fantômes, cerises, melons, oranges, pêches… tout, même des *clés* !!! Ce n'est même pas *comestible*. Posez-en une devant lui et voyez comme il se précipite dessus. Il a besoin de manger pour avancer. Il mange comme on respire. S'il arrêtait de manger, il mourrait, comme un requin qui arrêterait de nager. Défiant toute logique digestive, il peut s'enfiler des centaines de pac-gommes et avoir encore assez d'appétit pour Blinky et Clyde. Quant à Obélix, mesdames et messieurs les juges, attention : vous avez vu sa taille par rapport à celle de Pac-Man ?

MOHAMED ALI

CONTRE

MIKE TYSON

★ **Lequel** ★
**des deux champions
aurait gagné le combat,
s'ils s'étaient affrontés ?**

QUIZ
Qu'a-t-il dit au juste ?
**Pouvez-vous remplacer le mot incorrect (signalé
en italique) par le bon (sachant qu'il commence par la même
lettre) dans les citations suivantes de Mohamed Ali ?**

a. Qui n'a pas d'imagination n'a pas d'*ami*.

b. Quand on est ce que je suis, il est difficile de rester *honnête*.

c. On ne devient pas champion dans un *groupe*. On devient
champion grâce à ce qu'on ressent ; un désir, un rêve, une vision.
On doit avoir du talent et de la technique. Mais le talent doit être
plus fort que la technique.

MOHAMED ALI

(56 victoires, dont 37 par KO, 5 défaites.)

Il l'a dit lui-même : il vole comme un papillon et pique comme une abeille. Attention, c'est un insecte hybride redoutable ! Personne n'est encore parvenu à égaler sa **rapidité** et sa **dextérité**, ni son **intelligence**. Trop bagarreur et trop impulsif, Tyson n'aurait pas pu vaincre Ali et sa psychologie particulière, notamment sa technique du « rope-a-dope ». **L'allonge** d'Ali était plus grande que celle de Tyson (203 cm contre 180 cm) et il était plus **agile** et **rapide**. Il a battu de nombreux champions : Foreman, Liston, Frazier, Norton, Shavers, et bien d'autres. Dernier point de comparaison : Ali est un **poète**, bien connu pour ses petites phrases amusantes.

MIKE TYSON

(50 victoires, dont 44 par KO, 6 défaites, 2 no-contest.)

Nul besoin de distractions comme la rapidité, la grâce ou l'intelligence. Tyson possède la **puissance** et la **rage**, et ça lui suffit pour **écraser** n'importe quel adversaire, un peu comme il écrasait des pigeons entre ses deux mains pendant ses jeunes années de délinquance. Il est **le plus fort**, point à la ligne. Personne n'avait sa puissance à l'époque où Mohamed Ali combattait. Et je ne pense pas que la poésie soit le passe-temps préféré des vrais mecs. Mais assez parlé de **muscles**, passons à son deuxième atout : la **folie**. Si le match avait duré, Ali aurait peut-être gagné, mais, malheureusement pour lui, Tyson l'aurait mis KO au sixième round.

SAIGNANT

CONTRE

BIEN CUIT

★ **Quelle est** ★
la meilleure cuisson ?

SAIGNANT

Un steak saignant fait appel à notre instinct. Que vous soyez d'accord ou non, nous sommes carnivores. On éprouve un **plaisir primitif** à mâcher un morceau de viande rouge bien tendre et à sentir couler le jus sur notre menton – un mélange de sang, de salive et de sauce barbecue. Plus la viande est **juteuse**, plus elle a de **goût**. Le steak bien cuit, c'est pour les peureux ! Le choix facile, rassurant, sage. Saignant, c'est rouge, couleur de la force, de la volonté, de l'éclat, de la vie. Alors que « bien cuit », ça fait penser à quelque chose de propre, lisse, sans intérêt. Bien, mais sans plus… Plus un steak est cuit, plus il est sec, tout comme l'âme de celui qui le mange.

BIEN CUIT

« Bien cuit » est la cuisson la plus **commandée** et la plus **distinguée**. C'est vrai, quoi, nous ne sommes pas des hommes préhistoriques sans cesse sur le qui-vive pour échapper à des prédateurs aux dents affûtées ! Nous prenons le temps de faire cuire nos repas. Nous faisons mariner, préparons des sauces, utilisons couteaux et fourchettes, et nous mangeons la bouche fermée. Ce sont les sauvages qui mangent la viande saignante ! Et restez bien vigilant quand vous cuisinez. Car, quand ceux qui ont mangé un steak bien cuit sont encore à table à reprendre de la crème brûlée, ceux qui ont choisi le steak saignant sont généralement aux toilettes, pliés de douleur, leurs intestins étant devenus le terrain de jeux de parasites et bactéries comme *e. coli*.

POUR ALLER PLUS LOIN
Quel est le meilleur accompagnement ?

- Épinards à la crème
- Pomme de terre au four avec beurre, crème et persil
- Frites
- Homard

JEUX D'ÉTÉ

CONTRE

JEUX D'HIVER

★ Quels sont ★ les meilleurs JO ?

JEUX D'ÉTÉ

Combien y a-t-il de manières de descendre une piste ? Sur un ski ? deux skis ? En slalomant ? Le plus rapidement possible ? Assis sur une luge ? Allongé sur une luge ?… C'est bon, on a compris. Et puis, certaines épreuves très médiatisées sont vraiment absurdes, comme le biathlon. Quelle idée de **combiner le ski et le tir** ? D'où elle sort, cette épreuve ? d'un centre d'entraînement pour agents secrets ? (Remarque : des JO pour agents secrets, ça, c'est une idée !) Et après, que va-t-on inventer ? Patinage artistique et tir à l'arc ? Raquettes et tricot ? Luge et bronzage facial ? Le seul réel plaisir à regarder les jeux d'hiver, c'est de voir un sauteur à ski se planter en beauté ou un patineur déraper en retombant de son triple axel. Un peu sadique, non ?

JEUX D'HIVER

De combien de manières peut-on traverser une piscine ? Papillon dos, brasse, crawl… Une seule épreuve de **natation** ne serait-elle pas suffisante ? Le premier qui atteint l'autre bord de la piscine a gagné, tout simplement. Au moins, dans les sports d'hiver, on utilise des équipements différents. Et peut-on vraiment parler de «sports» pour la natation synchronisée, le trampoline et la GRS ? Que va-t-on nous sortir après, un défilé de mode ? Et pourquoi pas un combat par haïkus tant qu'on y est ? En hiver, les JO sont un bon **divertissement**, mais, en été, on devrait tous être dehors en train de profiter du beau temps, de la plage, de l'herbe verte…

SEL

CONTRE

POIVRE

★ **Quel est** ★
le meilleur
condiment ?

SEL

Si on dit généralement « salez, poivrez » dans cet ordre plutôt que l'inverse, ce n'est pas par hasard. C'est parce que le salé est l'une des cinq **saveurs de base**. Le sel est LE condiment par excellence, celui sans qui rien n'est possible. C'est un exhausteur de goût. Il ne vieillit pas et, en plus, il **empêche d'autres aliments de s'abîmer**. Le poivre frais est bon, mais rare et dur à trouver. C'est l'acolyte du sel, le voisin un peu bizarre, le pote excentrique et finalement pas si sympa que ça… celui dont on se passerait bien, quoi ! Tant qu'on en parle, d'ailleurs, vous pensez qu'il serait possible de faire sortir encore moins de poivre d'un moulin ? Non, parce qu'une demi-heure pour poivrer une omelette, merci bien, mais je passe…

POIVRE

Quoi qu'on dise du poivre, aucune étude scientifique n'a montré qu'il était mauvais pour la santé, alors que le **sel TUE** ! Il est temps que le poivre mette un terme à cette addiction malsaine de l'espèce humaine. Il y a d'autres arômes qui se marient avec lui, comme le citron, par exemple. Au fait, j'allais oublier ! Merci, le sel, de rendre imbuvable la majeure partie des eaux de la Terre. On ne voit jamais d'eau poivrée nulle part, si ? (Note pour moi-même : proposer le concept à Évian).

LE SAVIEZ-VOUS ?

La cinquième saveur est appelée *umami*, c'est un mot japonais qui peut être traduit par « savoureux ». Elle se retrouve dans des aliments comme les fromages, la sauce de soja, le bouillon de viande, les champignons, et la cuisine asiatique en général.

JETEZ-VOUS À L'EAU :

BATAILLES GUSTATIVES DÉCLINÉES À L'INFINI

Jusqu'à présent, nous vous avons fourni les arguments. C'est maintenant à votre tour de montrer vos capacités d'argumentation. Trouvez un adversaire de taille, choisissez votre camp et préparez-vous à la bataille.

★ Qui gagnera ★ ces batailles culinaires ?

Crêpes contre Gaufres

Le régime du WeightWatchers® contre Le régime du Dr Dukan

Chocolat contre Vanille

Eau plate contre Eau pétillante

Maïté contre Julie Andrieu

Vin rouge contre Vin blanc

Lait écrémé contre Lait entier

Publicités pour yaourts contre Publicités pour soupes

Riz contre Pruneaux

Soupe contre Salade

Frites contre Pommes de terre au four

Chocolat contre Bonbons

Princes® contre BN®

Tofu contre Rien

LAPIN DE PÂQUES CONTRE PÈRE NOËL

★ Quel est ★ le meilleur emblème des fêtes ?

LAPIN DE PÂQUES

Le règne du Père Noël est révolu. À l'heure d'Internet et des sites comme Amazon qui proposent une livraison en 24 heures, les rennes et le traîneau du Père Noël sont un peu obsolètes. En plus, le bonhomme jovial et bien en chair fait l'objet de débats éthiques. On parle de conditions de travail inhumaines dans des ateliers clandestins, les associations de défense des droits des animaux s'insurgent contre la manière dont les rennes sont exploités, et des groupes religieux ont laissé entendre que le don d'ubiquité du Père Noël pendant la nuit du 24 décembre serait un signe de **magie noire**. Il faut bien l'admettre : le Père Noël est **vieux**, en **surpoids** et certainement diabétique au vu de tous les biscuits qu'il dévore le soir de Noël. Et puis, a-t-il déjà entendu parler des emails ? Trop nul !

PÈRE NOËL

A-t-on déjà imaginé quelque chose de plus effrayant qu'un lapin géant transportant un panier d'œufs ? De quoi faire des cauchemars en pensant à *Donnie Darko* ! (Et, au passage, c'est un peu étrange que ce soit le lapin, animal bien connu pour copuler de manière frénétique, qui ait été choisi pour symboliser les fêtes de Pâques, non ?) En plus d'encourager l'obésité infantile en apportant tous ces lapins, poules, œufs et cloches en chocolat, il fait travailler un autre animal, la petite souris, pour récupérer les dents fraîchement tombées des petits enfants. Le **gros barbu** reste une figure païenne plus inoffensive…

BJÖRN BORG

CONTRE

ANDRÉ AGASSI

★ Qui est ★ le roi du court de tennis ?

POUR ALLER PLUS LOIN
Qui a la plus belle coupe de cheveux ?

• La coupe afro des Jackson 5 *contre* Le crâne chauve de Michael Jordan

• La frange de Dorothée *contre* La coupe au bol de Mireille Mathieu

• Les coupes de cheveux de David Beckham *contre* Les coupes de cheveux de Victoria Beckham

BJÖRN BORG

Borg a gagné 89,8 % des matches en simple du Grand Chelem qu'il a joués. Son style contrecarre parfaitement celui d'Agassi. Il l'égale en ce qui concerne le rattrapage des **balles au rebond**, et son **endurance** surnaturelle lui aurait permis de renvoyer chacune des balles d'Agassi. Mais venons-en à la partie la plus intéressante de ce match : la coupe de cheveux. Celle de Borg était **intemporelle** et de **bon goût**. À 50 ans, il avait toujours une belle coupe. Alors que la coupe mulet décolorée d'Agassi n'était qu'une perruque et constitue une belle métaphore de sa carrière : flashy. Et quelle idée de quitter Brooke Shields pour Steffi Graf ? Non, vraiment, en amour, coupe de cheveux et tennis, inutile de lutter contre Borg. C'est lui qui gagne.

ANDRÉ AGASSI

Agassi est le seul tennisman à avoir remporté **chacun des tournois du Grand Chelem**, la Master Cup, la coupe Davis *et* une médaille d'or aux JO. Il reste probablement le **meilleur réceptionneur de services** de toute l'histoire du tennis, et ses reprises de balle au rebond ont toujours été impressionnantes en termes de **puissance** et de **trajectoire**. Si Borg et Agassi s'étaient affrontés, le second aurait eu le contrôle, il aurait fait courir son adversaire d'un côté à l'autre du court jusqu'à ce que son bandeau soit trempé de sueur. Et il ne faut pas oublier que la fondation d'Agassi a collecté environ 60 millions de dollars pour les jeunes en détresse dans le Nevada. Vous voyez, tout n'est pas une histoire de coupe de cheveux ! À qui vont les recettes des ventes de lingerie de Björn ? Hum… La victoire va à Agassi.

POMME

CONTRE

ORANGE

★ Quel est ★
le meilleur fruit ?

POMME

Délicieuse et croquante. Le dicton « une pomme par jour éloigne le médecin pour toujours », ce n'est pas du pipeau ! Des études scientifiques ont montré que la pomme réduit le risque de cancer, fait baisser le taux de cholestérol et aide à perdre du poids. En plus, elle est excellente en tarte ! Une pomme apporte plein de vitamines, de minéraux et d'acides aminés, pour uniquement 50 calories environ. Mais tout ça n'est que secondaire. Le mieux, c'est qu'on peut la savourer sans serviette. Et ton orange, elle est bonne ? Ha, tu n'as pas terminé de l'éplucher… Préviens-moi quand tu commenceras à la manger, on comparera. Tu n'as toujours pas fini ? Pas grave. Et tu ne commencerais pas à avoir les doigts collants, par hasard ?

ORANGE

Juteuse et rafraîchissante. C'est l'orange qui a le meilleur goût. En plus, elle contient 12,5 % de l'apport journalier en fibres et plein d'antioxydants, de potassium, de vitamine C, d'acide folique (pour le cerveau) et de thiamine (pour l'énergie). Elle réduit aussi le risque de nombreuses maladies, du diabète aux calculs rénaux. Manger une pomme, c'est une corvée et c'est toujours frustrant : on ne peut jamais la manger entièrement et on ne sait pas vraiment à quel stade s'arrêter, ni que faire du trognon. Alors ça y est, tu as fini ta pomme ? Elle était bonne ? Quoi ? Ha, tu ne sais pas où jeter le trognon ? Désolé, je ne peux rien faire pour toi, là.

AYRTON SENNA

CONTRE

MICHAEL SCHUMACHER

★ Qui est ★ le meilleur pilote de F1 ?

AYRTON SENNA

- 3 fois champion du monde en 4 ans ;
- 65 pole positions ;
- 41 victoires.

Senna est **mort tragiquement** dans un accident lors d'un grand prix, au sommet de sa gloire. Qui sait s'il n'aurait pas remporté d'autres titres de champion du monde ? Doté d'une **volonté d'acier,** sans scrupules, il a affronté son coéquipier Prost avec acharnement. Il voulait être le meilleur. Schumi, lui, est arrivé au moment où tous les meilleurs (Prost, Senna) partaient… Un peu facile, non ? Alors que la carrière de Senna a été interrompue avant l'heure, il n'a que 3 pole positions de moins au compteur que Schumacher ! Inutile de se demander s'il l'aurait doublé, on n'en doute pas !

MICHAEL SCHUMACHER

- 7 fois champion du monde ;
- 68 pole positions ;
- 91 victoires.

C'est le pilote qui compte le plus de **records** dans la discipline. Il reste le détenteur du plus grand pourcentage de victoires par rapport au nombre de participations, alors que Senna n'est qu'à la troisième place de ce classement. Très calé en **technique** et en **tactique,** il a souvent gagné grâce à d'excellents choix de matériel et de préparation de véhicule. Il a également contribué à relancer l'écurie Ferrari, qui détient grâce à lui le record du plus grand nombre de victoires, de points, de pole positions, de meilleurs tours, de podiums… Un tel palmarès, ça laisse rêveur !

CARNIVORE

CONTRE

VÉGÉTARIEN

★ Qu'est-ce ★
qu'il vaut mieux être ?

CARNIVORE

Mangez de la viande pour le bien des vaches : la plupart d'entre elles sont élevées dans le seul but de fournir de la viande aux hommes. Si vous cessez d'en consommer, les éleveurs n'auront plus de raison de les élever, et le bétail ne fera que diminuer. Or, s'il y a bien une chose dont nous n'avons pas besoin, c'est d'une espèce supplémentaire en voie de disparition. Faites une bonne action de plus en choisissant de la viande élevée sans antibiotiques ni hormones, dans une **petite ferme**, où les méthodes de travail sont humaines. C'est le choix correct d'un point de vue **éthique**, qui crée une demande et encourage la multiplication d'élevages de ce type, pour des animaux en bonne santé.

VÉGÉTARIEN

Le végétarisme est la meilleure position d'un point de vue éthique. Dans le futur, quand la viande sera créée à partir de cellules de culture, nous regarderons le passé et notre **massacre** volontaire et conscient d'**animaux sans défense** en étouffant de petits soupirs… Et si l'éthique n'est pas une motivation pour vous, saviez-vous que la majorité de la « viande » que vous mangez contient des parties comme la queue, la tête, les pieds ou le rectum des animaux ? Par ailleurs, la viande est riche en **graisses** et multiplie les risques de développer une maladie cardiaque. Pas encore convaincu ? Sachez que la plupart des intoxications alimentaires sont causées par la viande. En plus, si nous mangions les végétaux utilisés pour nourrir les animaux, il n'y aurait plus de faim dans le monde.

LE SAVIEZ-VOUS ?

Dans *Le Guide du voyageur galactique* (éditions Libellus, Miribel, 2007), Douglas Adams trouve un terrain d'entente entre végétariens et carnivores. Il invente une espèce de bétail qui aime être massacrée et est fière de nourrir les hommes.

ZINEDINE ZIDANE

CONTRE

MICHEL PLATINI

★ **Quel est** ★
le meilleur
footballeur français
de tous les temps ?

ZINEDINE ZIDANE

Zizou est déjà une **légende** alors que ça ne fait que quelques années qu'il a pris sa retraite ! Il a été désigné à trois reprises **meilleur joueur mondial** par la Fifa, il a été nommé Ballon d'or en 2008 et fut vainqueur de la coupe du monde en 1998 et finaliste en 2006. Quand Platini jouait chez les Bleus, son équipe n'a jamais remporté le titre de champion du monde, n'est-ce pas ? Le Real Madrid, élu meilleur club mondial par la Fifa, s'est battu pour avoir Zidane. **Roi du contrôle** et de la passe, il excellait techniquement. Et c'est un homme de cœur, qui n'hésite pas à participer à des **œuvres caritatives** et est apprécié de tous ses coéquipiers et amis.

MICHEL PLATINI

Platini est considéré comme l'un des meilleurs joueurs de football de l'histoire, et comme le **plus grand footballeur français**. En 72 sélections, il a marqué pas moins de 41 buts, alors que Zidane n'en a marqué que 31 en 108 sélections. Platini a d'ailleurs été désigné meilleur footballeur français du siècle (rien que ça !) par le magazine *France football*. Au lieu de perdre son temps à faire de la publicité, il a été **sélectionneur de l'équipe de France** de 1988 à 1992 et est actuellement président de l'UEFA. Et lui n'a jamais perdu son sang-froid pendant un match…

JETEZ-VOUS À L'EAU :

AFFRONTEMENTS SPORTIFS À TRAVERS LE TEMPS

Jusqu'à présent, nous vous avons fourni les arguments. C'est maintenant à votre tour de montrer vos capacités d'argumentation. Trouvez un adversaire de taille, choisissez votre camp et préparez-vous à la bataille.

★ Qui sera le meilleur ? ★

Michael Jordan contre **Tony Parker**

Jack Nicklaus contre **Tiger Woods**

Martina Navratilova contre **Serena Williams**

L'OM contre **Le PSG**

Michel Platini contre **Guy Roux**

Les Bleus de 1998 contre **Les Bleus de 2010**

Le XV de France contre **Les All Blacks**

Le derby Olympique lyonnais/AS Saint-Étienne contre **Le derby**

RC Lens/Lille OSC

Mark Spitz contre **Michael Phelps**

Bernard Hinault contre **Laurent Fignon**

Footix contre **Zakumi**

Le hockey sur glace contre **Le hockey sur gazon**

Thierry Roland contre **Thierry Gilardi**

HOT-DOG

CONTRE

HAMBURGER

★ Quel est ★
le plus américain
des sandwiches ?

QUIZ
Terminez les phrases suivantes :

- « Tous les êtres humains naissent libres et égaux en... »
- « Allons enfants de la patrie... »
- « Je voudrais un menu avec... »

HOT-DOG

Le hot-dog est **le symbole** de l'Amérique. Demandez-moi de choisir entre le hot-dog et l'apple pie, là, le débat sera intéressant, mais le hamburger, franchement… Le hot-dog est l'exemple type de **l'ingéniosité** américaine : s'emparer d'une tradition existante (la frankfurter, saucisse allemande), l'adapter, la renommer et la produire en grande quantité. C'est l'encas idéal pour un pique-nique ou pour aller voir un match de base-ball. Un petit creux ? Mangez-en un. Un gros creux ? Mangez-en deux ! Affamé et un peu fou ? Inscrivez-vous au championnat de mangeurs de hot-dogs. Autre avantage : il se déguste **à une main**, laissant l'autre libre pour d'autres activités bien américaines, comme boire une bière ou se gratter l'entrejambe.

HAMBURGER

Rien ne fait plus penser à l'Amérique que les fast-foods. Et rien ne fait plus penser à un fast-food qu'un bon gros hamburger (surtout s'il contient un steak haché très fin qui peut faire office de cuillère pour rattraper les morceaux d'oignon, le ketchup ou autres condiments). Vous trouverez une pile de **steaks hachés** sur tout barbecue américain qui se respecte. Un véritable hamburger contient un steak 100 % pur bœuf. Allez savoir ce qui se trouve dans la saucisse à hot-dog…

THÉ

CONTRE

CAFÉ

★ **Qui gagnera** ★
**la bataille
des boissons ?**

THÉ

Pour répondre à cette question, allons voir ce qu'il se passe du côté des enfants… Toutes les dînettes de petites filles comprennent une théière, un pot à lait et un sucrier, mais jamais de cafetière ni de moulin à café. Par ailleurs, le thé invite à la **méditation**, il soigne, il possède un petit côté magique. Il est riche en **antioxydants**, qui aident à réduire les risques de cancer, allongent la durée de vie, font diminuer la pression sanguine et contribuent à lutter contre la grippe. Un café, c'est une tornade dévastatrice dans une tasse. Il pousse à devenir accro au travail et rend très nerveux. Il empêche de dormir et promet une énergie débordante à court terme (alors que le sommeil, c'est vital !), puis il nous laisse faible et épuisé. Il nous rend dépendant, on commence en buvant un café allongé, puis on passe à l'espresso pour finir par ne plus boire que des petits noirs bien serrés.

CAFÉ

Totalitaires du thé, vous ratez quelque chose : la bonne odeur qui monte aux narines le matin au réveil. Le café est la boisson des travailleurs. Il a bon goût et stimule l'**attention** et la réflexion. De nombreuses études montrent que, consommé raisonnablement, il est bon pour la santé. C'est d'ailleurs la principale source d'**antioxydants** pour beaucoup de gens. Il protégerait même contre la démence. Il est temps de dénoncer tous les slogans de « boisson du bien-être » qui font vendre des thés aux noms trompeurs, comme « relaxant » ou « vivifiant ». Le thé, ce n'est qu'un petit sachet de feuilles, rien de plus !

JOKER
Noms de thés peu engageants :

- Meloncolie
- Cannell'oni
- Thé thé triste
- Désappointementhe

MOTS-CROISÉS

CONTRE

SUDOKUS

★ Quel est ★ le meilleur jeu ?

MOTS-CROISÉS

SUDOKUS

Les mots-croisés sont les rayons de soleil du monde des jeux : **beaux**, stimulants, **délicats** et uniques. Il n'y en a pas deux pareils, alors que les sudokus se ressemblent toujours. OK, le 7 passe de la case du milieu au coin supérieur gauche, super ! Ce sont des jeux pour paresseux, sans âme. Ils peuvent d'ailleurs être créés par un ordinateur, ce qui veut tout dire. Les mots-croisés, eux, doivent être conçus par des cruciverbistes experts, ce qui demande du travail. Avez-vous déjà essayé d'en créer un ? J'ai tenté une fois, et je me suis retrouvé avec des suites de lettres dépourvues de sens, que j'ai essayé de faire correspondre à des indications comme « onomatopée prononcée par Batman » ou « bruit d'une porte cognant votre front ».

Les sudokus sont des perfections mathématiques. Ils ne demandent rien d'autre que de savoir compter jusqu'à 9, et pourtant ils aiguisent la **logique** et la **capacité de déduction**, et il en existe un nombre infini. Les mots-croisés, eux, ont plein de points faibles : les indications sont subjectives, ils ne sont pas symétriques, et ils exigent d'avoir des connaissances archaïques en géographie subsaharienne ou en instruments de musique hawaïens – connaissances dont vous ne vous servirez jamais dans une conversation normale…

JOKER
Jeux japonais qui n'ont pas percé :

- Sudoku de kanjis
- KenKen
- SquarO

QUICK

CONTRE

MCDONALD'S

★ **Quel fast-food** ★
a la meilleure
mascotte ?

QUICK

Après avoir tenté plusieurs fois de se doter d'une mascotte, le fast-food belge a décidé que cela ne lui était pas utile pour fidéliser ses clients, petits et grands. Pas de clown au sourire digne de celui du Joker sur les murs des restaurants ou les boîtes des menus enfants. Non, Quick se concentre sur des choses sérieuses (le **goût**, comme le rappelle le slogan) plutôt que de faire des grimaces et donner le mauvais exemple aux enfants !

MCDONALD'S

Ronald McDonald, la mascotte bien connue du célèbre fast-food américain, encourage les enfants à avoir de mauvaises habitudes alimentaires depuis plus de trente ans ! C'est une véritable **icône**, il rassure les enfants et les **fait rire**, malgré son perpétuel sourire un peu inquiétant. Son visage reste ancré dans la mémoire de la majorité des enfants, qui s'en souviennent même lorsqu'ils sont devenus adultes. Alors que, chez Quick, l'accueil est totalement impersonnel.

POUR ALLER PLUS LOIN
Quelle est la mascotte la plus nulle ?

Gros Quick *contre* **Le Prince de Lu**

La vache Milka *contre* **L'éléphant Côte d'or**

Pico de Chocapic *contre* **Coco de Cocopops**

PIERRE

CONTRE

FEUILLE

CONTRE

CISEAUX

★ Qui sortira ★
vainqueur de ce
combat à trois ?

PIERRE

Dans un duel entre pierre et ciseaux, c'est la première qui a l'avantage. Si on la manie avec force, son **poids** et sa **dureté** la rendent capable de courber, déformer et même briser les ciseaux. À l'inverse, essayez de frapper la pierre avec les ciseaux, et vous verrez que ce sont ces derniers qui en souffriront. Ceci dit, contre la feuille, la pierre est en position de faiblesse. Enfin, tout dépend du type de feuille ! Si elle est fine et de mauvaise qualité, la pierre pourra l'écraser et l'arracher, mais si elle est résistante, fibreuse et posée bien à plat, elle vaincra… Et, avec un peu de chance, la feuille pourra même envelopper la pierre, cachant ainsi son air de dur à cuire.

FEUILLE

Comme nous venons de le voir, la feuille s'en sort étonnamment bien dans un duel contre la pierre. En revanche, contre les ciseaux, c'est sans espoir ! Elle pourrait essayer de les envelopper, mais en effectuant un mouvement d'ouverture et de fermeture, ils parviendraient à s'en dégager et finiraient par la **couper**.

CISEAUX

Ils ne s'en sortent pas mal du tout face à la feuille (voir ci-dessus), mais, contre la pierre, c'est une autre histoire !

JOKER
Qui est le meilleur : l'agrafeuse ou la perforatrice ?

Chapitre 3

Histoire et Politique

GANDHI

CONTRE

MÈRE TERESA

★ **Qui gagnerait** ★
cette bataille
pacifique ?

a. Il avait mauvaise haleine.

b. Il avait de fausses dents.

c. Il avait l'accent irlandais.

d. Il s'est marié à 13 ans.

e. Il aimait faire des lavements et accueillait souvent les gens en leur demandant s'ils avaient bien été à la selle le matin.

RÉPONSE : toutes les propositions sont exactes !

GANDHI

Personne ne possède la détermination paisible et la sagesse de Gandhi, ni ne porte mieux que lui les lunettes à la John Lennon. Il a **libéré** un peuple du joug de l'oppression coloniale sans avoir recours à la violence. Et le ventre vide, en plus ! Il a jeûné pendant 24 jours d'affilée ; il a réitéré sa grève de la faim à d'autres occasions, pour protester de manière **non violente** contre les injustices politiques et sociales comme le racisme, le colonialisme et la cruauté du système de castes en Inde. Grâce à la **désobéissance civile**, appelée Satyâgraha (qui signifie « vérité et fermeté » en sanskrit), Gandhi a conduit la **marche du sel**, sur plus de 300 km, jusqu'à la ville de Sandi, en réaction à la création de la taxe sur le sel par les Britanniques – ce qui est étrange puisqu'il n'a jamais mangé un seul plat qui nécessitait d'être assaisonné…

MÈRE TERESA

Mère Teresa a dédié sa vie entière à aider les **pauvres**. Elle soignait tout le monde, même les **lépreux**. En 1950, elle a fondé la congrégation des **Missionnaires de la Charité** pour aider les pauvres et les malades à Calcutta, et la congrégation s'est développée à l'étranger dès 1965. En 1982, elle a provoqué un cessez-le-feu entre Israéliens et Palestiniens pour sauver 37 enfants dans un hôpital à Beyrouth. Gandhi, avant d'être pacifiste engagé, était avocat. Mère Teresa n'a pas eu besoin de travailler un an ou deux avant de découvrir son réel **but** dans la vie, à l'âge de 12 ans.

FRANÇOIS Iᵉʳ

CONTRE

LOUIS XIV

★ Qui fut ★
le plus grand roi
de France ?

FRANÇOIS IER

Ce souverain éclairé et intelligent, grand mécène, qui aimait la vie et ses plaisirs, et qui apprécia les femmes autant pour leur beauté que pour leur intelligence, marqua durablement l'histoire de France. On a d'ailleurs tous la date de « 1515 Marignan » gravée en tête (même si on ne sait pas toujours qu'il s'agit d'une victoire du jeune monarque allié aux Vénitiens contre les Suisses pour contrôler le Milanais). Et qui a introduit le raffinement de la **Renaissance** italienne dans l'Hexagone ? Qui est à l'origine du merveilleux château de **Chambord**, a reconstruit le Louvre et a permis à **Léonard de Vinci** d'exercer son génie en France ?

LOUIS XIV

C'est le **monarque absolu**, le souverain tout-puissant, de droit divin, en un mot : le Roi-Soleil ! Son règne fut l'un des plus longs de l'histoire de France : 54 ans (de 1661 à 1715) et contribua à doter la France d'un immense prestige au sein de l'Europe. Il laisse le souvenir d'une **France rayonnante** : à côté du **château de Versailles**, Chambord, c'est un cabanon ! Louis XIV fut le roi de la démesure et des projets pharaoniques. Ce fut également un grand séducteur qui sut jouer de la beauté de ses maîtresses (notamment Mme de Montespan et Mme de Maintenon) en les exhibant aux ambassadeurs étrangers.

SARTRE

CONTRE

SOCRATE

★ **Qui remporterait** ★
un débat
philosophique ?

SARTRE

Cette discussion ne sert à rien.

SOCRATE

Le penses-tu vraiment ?

HAMMURABI

CONTRE

LES PÈRES FONDATEURS DES ÉTATS-UNIS

★ Qui fut ★ le meilleur législateur ?

JOKER

À quoi la Déclaration d'indépendance ressemblerait-elle si les Pères fondateurs avaient joué au cadavre exquis ?

Lorsque, dans le cours des vents humains, il devient nécessaire pour un pet de dissoudre les liens politiques qui l'ont attaché à un autre et de prendre, parmi les trous du cul de la Terre, la place séparée et odorante à laquelle les lois de la nature et de la machine à laver de la nature lui donnent droit, le respect dû à l'opinion des dauphins oblige à déclarer les causes qui le propulsent au rectum.

HAMMURABI

Question : Hammurabi est :

a. un rappeur juif ;

b. la mascotte d'une chaîne de restaurants ;

c. un roi de Babylone qui a rédigé plusieurs lois fondamentales.

Réponse : c. Et je vous mets au défi de citer d'autres lois qui portent toujours le nom de leur créateur après presque 4000 ans ! Le **Code d'Hammurabi**, composé de 282 lois, comporte des doctrines toujours appliquées aujourd'hui, comme la présomption d'innocence en cas de crime, la nécessité de recueillir des preuves et le principe de la Loi du Talion (« **Œil pour œil, dent pour dent** »). Hammurabi a déclaré que ces lois lui ont été inspirées par **Shamash, le dieu du Soleil**. S'il pouvait travailler avec des dieux, imaginez ce qu'il aurait fait au sein d'un parti politique (il paraît que la ville d'Eshnunna était un État républicain en 1760 avant J.-C.).

LES PÈRES FONDATEURS

Plus de 200 ans après sa rédaction, la Constitution américaine est l'une des plus anciennes constitutions écrites et encore appliquées. C'est d'autant plus impressionnant qu'elle a été rédigée par un groupe d'opprimés, bien avant que leur nation devienne la plus grande puissance mondiale. Hammurabi, lui, a rédigé ses lois à la fin de son règne, alors qu'il avait déjà conquis son empire. Et on était bien obligé de respecter ses lois, puisque la peine encourue était plutôt draconienne : la mort !

KERMITTERRAND

CONTRE

SUPER MENTEUR

★ **Quelle marionnette** ★
est la plus drôle ?

KERMITTERRAND

Inspiré du personnage de Kermit la grenouille de l'émission américaine *Muppet Show*, Kermitterrand s'est peu à peu imposé comme un batracien imbu de lui-même. Vous connaissez la grenouille qui veut se faire plus grosse que le bœuf ? Eh bien, Kermitterrand voulait être plus important que... Dieu (on se souvient tous de la réplique choc : « **Appelez-moi Dieu !** »). Plus mégalo, tu meurs ! Avec cette marionnette, le comique Jean Roucas a été un véritable **précurseur** et, par la suite, les *Guignols de l'Info* n'ont fait qu'emprunter cette voie pour la transformer en autoroute du divertissement.

SUPER MENTEUR

Dans un premier temps, Jacques Chirac a été croqué par *Les Guignols de l'Info* comme un personnage franchouillard et débonnaire. Certes, cette marionnette avait un réel capital sympathie (on lui a même attribué en partie les résultats de l'élection présidentielle de 1995), mais c'est véritablement à partir de 2002, avec le personnage de Super Menteur, que la caricature de Chirac **a fait sensation** auprès des Français. Lors d'un sondage réalisé par le site du NouvelObs en mars de la même année, 62 % d'entre eux se sont déclarés amusés par la marionnette revêtant son costume de **Super Héros**. Kermitterrand, retourne coasser dans ton marais !

LE SAVIEZ-VOUS ?

Les *Guignols de l'Info* ont réalisé une parodie du *Bébête Show* intitulée *Le Très Bête Show* ; les marionnettes y étaient enlaidies et Jean Roucas se retrouvait avec une tête en forme de pied. Cette parodie se moquait principalement de l'humour de l'émission et de sa propension aux jeux de mots.

CANADA

CONTRE

SUISSE

★ Quel pays ★
gagnerait
une guerre ?

CANADA

(choisit de rester neutre)

SUISSE

(choisit de rester neutre)

• DÉBATS RAPIDES •

JETEZ-VOUS
À L'EAU :

AFFRONTEMENTS MILITAIRES ET POLITIQUES (À TROUPES, ARMES ET FORMATIONS ÉGALES)

Jusqu'à présent, nous vous avons fourni les arguments. C'est maintenant à votre tour de montrer vos capacités d'argumentation. Trouvez un adversaire de taille, choisissez votre camp et préparez-vous à la bataille.

★ Qui gagnera ★ ces combats musclés ?

Napoléon contre Charlemagne

Eisenhower contre Mac Arthur

Louis XIV contre Louis XVI

Vercingétorix contre Charles Martel

Sun Zi contre Léonidas de Sparte

Le maréchal Foch contre Le maréchal Pétain

Che Guevara contre Jeanne d'Arc

Jules César contre Cléopâtre

Charles de Gaulle contre Barack Obama

Alexandre le Grand contre Gengis Khan

Attila le Hun contre Judas Maccabée

La Première Guerre mondiale contre La Seconde Guerre mondiale

SAMOURAÏ

CONTRE

NINJA

★ Qui gagnerait ★
ce combat de guerriers
japonais ?

SAMOURAÏ

Les samouraïs, qui appartiennent à la noblesse militaire japonaise, sont avant tout des personnes **honorables**. À tel point que, s'ils commettent une faute et ne respectent pas leur code de conduite légendaire ou tombent aux mains de l'ennemi, ils doivent se faire **seppuku** (suicide rituel) en public. Ils ont l'esprit d'équipe, comme le montre la pratique du shudo, une sorte de **relation homoérotique** entretenue entre un samouraï jeune et un plus expérimenté. Les ninjas, à l'inverse, sont de perfides assassins, dont la rapidité est indissociable de leur honneur, qui vivent et meurent selon l'adage « Sauve qui peut ». Dans une bataille classique, c'est le samouraï qui gagne. Mais, dans une forêt ou dans un endroit reculé et sombre, le ninja pourra peut-être prendre le samouraï par surprise. Quant aux armes, je ne sais pas pour vous, mais je pense que je m'en sortirais mieux avec le katana, le naginata ou le wakizashi des samouraïs qu'avec le jitte ou l'otzu tsu des ninjas…

NINJA

Il n'y a **personne d'aussi cool** qu'un ninja ! Un ninja est capable de vous tuer avec ce livre, voire même rien qu'avec la page 89 ! En fait, c'est déjà fait : l'encre est mélangée à un poison qui réagit au contact de la peau. Les samouraïs peuvent vanter leurs manières respectables autant qu'ils le veulent et parader dans leurs tenues bizarres… Vous savez ce qui s'accorderait parfaitement avec une tenue de samouraï traditionnelle ? Un shuriken envoyé en pleine tête ! Mettez un ninja face à un samouraï, et ce dernier se retrouvera **paralysé**, désarmé, les poches vides et le pantalon baissé avant même d'avoir eu le temps de dire « harakiri ». Si le ninja est dans un jour de grande bonté, il laissera peut-être le samouraï déshonoré se faire seppuku. Sayonara, loser !

GEORGE WASHINGTON CONTRE ABRAHAM LINCOLN

★ **Qui aurait gagné** ★
le triathlon
présidentiel ?

DÉBAT

Washington : aucun homme politique n'est jamais parvenu à égaler le charisme légendaire de Washington. Homme de grande taille, il avait une présence et une prestance incroyables.

Lincoln : il était le plus éloquent des hommes politiques. Il n'aurait fait qu'une bouchée de Washington.

DUEL AU BASKET

Washington : du haut de son 1,95 m (1,98 m avec la perruque), Washington était très sportif, comme il a pu le prouver en excellant dans le sport le plus populaire de son époque : la guerre. Il savait qu'une bonne défense est essentielle pour gagner.

Lincoln : il mesurait 1,98 m (plus de 2 m avec son haut-de-forme !) et se défendait très bien dans les domaines les plus courus de son époque : la construction de chemins de fer et le fendage de bois. Et vous seriez surpris de voir comme cela l'a musclé !

SÉDUCTION

Washington : on vous l'accorde, Washington n'avait rien d'un Kennedy. Mais il était tout de même bien mieux que Lincoln (quelle drôle de tête avait ce dernier, avec sa barbe en collier !) Et les femmes adorent les hommes en uniforme. Allez, mon général, une, deux ! une, deux !

Lincoln : il était plutôt du genre sensible, à broyer du noir. Comme un petit oiseau tombé du nid, qui a besoin qu'on s'occupe de lui. Et ça fait craquer les femmes…

ANNÉES 1980

CONTRE

ANNÉES 1990

★ **Quelle est** ★
la décennie
du siècle ?

LE SAVIEZ-VOUS ?

Les incontournables de chaque décennie

Les années 1980 : le Rubik's cube, *Les Mystérieuses Cités d'or*, les Bisounours en peluche, *MacGyver*, *L'Agence tous risques*, les Schtroumpfs, les décalcomanies Malabar, la viande de bœuf sans indication de provenance...

Les années 1990 : la musique grunge, la naissance d'Internet, *Les Teletubbies*, la macarena, *Street Fighter*, les Pogs, le rap américain, les 4 × 4...

ANNÉES 1980

Vous pouvez vous moquer tant que vous voudrez des années 1980, il faut reconnaître que les **brushings décollés** et les épaulettes surdimensionnées restent les symboles d'une société qui s'amusait. Fini le mouvement hippy, place à la **décadence**, au matérialisme, au *moonwalk*, aux T-shirts fluos et à une drogue stimulante (le **crack**). Les années 1980 furent celles de la fête, et les années 1990 connurent la gueule de bois qui s'ensuit inévitablement. Comment expliquer autrement cette mode des chemises à carreaux qui a donné à tout le monde l'impression d'être un bûcheron au chômage ? Sans compter que, dans les années 1990, la plupart des chansons parlaient de la difficulté d'appartenir aux classes moyennes supérieures… Craignos !

ANNÉES 1990

Contrairement à ce qu'on pense souvent, les années 1990 ont été une **époque heureuse**. Il n'a fallu que quelques années pour dissiper le **mythe de la Génération X** et (enfin) propulser le monde dans l'ère technologique. Les années 1990 sont surtout caractérisées par le développement d'Internet, des **technologies** mobiles et de plein d'autres choses dont on ne peut plus se passer aujourd'hui. Alors que, dans les années 1980, qu'a-t-on créé ? Des téléphones portables gros comme des annuaires et la bataille navale électronique ? Et c'est quoi, ça, dans votre nuque ? Une queue de rat ! Très seyant, cette mode ! Je suis sûr qu'elle va durer (hum ! hum !). C'est presque aussi intemporel qu'un élégant costume sombre, non ? Au fait, vous savez comment déterminer si une époque est devenue ringarde ou pas ? Elle est *has been* quand elle devient le thème de soirées déguisées et de boîtes de nuit. Ce qui n'est pas le cas des années 1990, n'est-ce pas ?

Chapitre 4

Divertissements

JAMES BOND

BOND

CONTRE

JASON

BOURNE

★ **Quel est** ★
le meilleur agent secret ?

JAMES BOND

Commander à boire, tuer quelqu'un, séduire une femme… Bond fait tout cela avec **facilité et aplomb**. Bourne est si sérieux et irritable qu'on a toujours l'impression qu'il a des maux d'estomac (la constipation est l'un des inconvénients majeurs auxquels les espions sont confrontés). Et Bond a un avantage de taille : **sa taille, justement** ! Si elle a varié au cours des ans, il n'a jamais mesuré moins de 1,83 m, alors que Bourne n'a jamais dépassé 1,80 m. Bond dispose en plus de **voitures de sport** équipées de gadgets à faire pâlir Jason Bourne. Et je n'ai encore jamais vu de Mini Coopers équipées de lance-missiles…

JASON BOURNE

Bourne est l'agent secret de notre époque. Agité et maussade, il a du **caractère** et une morale ambiguë. Il possède une certaine aura, et il **déchire** ! Jeune et fort, il gagnerait facilement un combat à mains nues (surtout contre Roger Moore ou Pierce Brosnan). Bond est anachronique et, surtout, totalement dépendant de ses gadgets. Enlevez-lui son inhalateur/lance-flammes ou son boomerang/téléphone et ce n'est plus qu'un Anglais vêtu d'un costume hors de prix. Une sorte de Max la Menace ! Le style british, c'est tellement dépassé ! Et, j'y pense, êtes-vous *certain* que Daniel Craig mesure plus de 1,83 m ?

POUR ALLER PLUS LOIN

• Qui est le meilleur James Bond : Connery, Moore, Dalton, Brosnan ou Craig ?

• Et qui serait le pire : Hugh Grant, Daniel Day-Lewis, Jim Carrey ou l'Anthony Hopkins des années 1980 ?

ACTEURS
DEVENUS
MUSICIENS

CONTRE

MUSICIENS
DEVENUS
ACTEURS

★ Qu'est-ce qui ★
est le pire ?

ACTEURS DEVENUS MUSICIENS

Que pourriez-vous bien écouter quand vous vous sentez un peu seul, le soir, si ce n'est la voix caverneuse de **Bruce Willis** chantant du blues ? Quoi, ce n'est pas votre premier choix ! Bon, c'est vrai, ces reconversions ne sont pas toujours réussies, c'est même assez rare... Mais il ne faut pas se prendre trop au sérieux. Alors, chers acteurs et actrices, si vous voulez vraiment satisfaire votre désir insatiable de reconnaissance, continuez à faire ce que vous faites le mieux : jouez !

MUSICIENS DEVENUS ACTEURS

Les chanteurs percent grâce à leur voix, les acteurs grâce à leur look et à leur physique. **Barbara Streisand** n'était pas faite pour que son visage soit projeté sur grand écran... Et, comme si les performances douteuses de chanteurs tels que **Mariah Carey** et **Sting** ne suffisaient pas, nous devons aujourd'hui subir l'arrivée de « rapcteurs » comme 50 Cent dans *Réussir ou mourir*. Plutôt mourir, merci !

POUR ALLER PLUS LOIN
Quelle profession hybride aimeriez-vous exercer ?

Patron de bar/psy *contre* Vendeur de chaussures/pédicure.
Chauffeur de taxi/slameur *contre* Peintre en bâtiment/artiste.
Prêtre/présentateur de jeu télévisé *contre* Plombier/sous-chef.

BRUCE SPRINGSTEEN

CONTRE

JON BON JOVI

★ Qui est ★
le roi de la scène ?

BRUCE SPRINGSTEEN

Qui c'est **le boss** ? Ce n'est qu'une question rhétorique, évidemment : tout le monde sait que c'est Bruce ! Face à lui, Bon Jovi fait figure de stagiaire du rock and roll. Comparons un peu leurs palmarès : Springsteen a remporté **19 Grammy Awards**, Bon Jovi n'en a eu qu'un (et encore, pour une collaboration). Le Boss rayonne en jouant dans des concerts au profit **d'Amnesty International**, alors que Bon Jovi, lui, joue le fiancé d'Ally McBeal. Et Bruce Springsteen a été décoré pour être l'une des personnalités originaires du New Jersey les plus influentes. Bon Jovi n'était de toute évidence pas « né pour courir » (*Born to run*).

JON BON JOVI

Bon Jovi est une **hit machine**. Son album *Slippery when wet* s'est vendu à plus de 26 millions d'exemplaires. Il est beau, a des **cheveux magnifiques** et les femmes adorent **sa manière de bouger**. Springsteen ne peut pas rivaliser avec lui en ce qui concerne l'apparence (il ne ferait même pas concurrence à son batteur, sur ce point !). Et que dire de ses pas de danse ? On comprend qu'il les exécute dans le noir… Et ce surnom, le Boss, ce ne serait pas un peu exagéré ? Merci pour le cours sur l'éradication de la faim dans le monde, mais tu ne voudrais pas arrêter de parler deux secondes et chanter « Glory days » ? Il faut le reconnaître, la majorité des chansons de Bruce Springsteen sont amères et déprimantes, quel que soit le nombre de « nah-nah-nah » qu'il y mette. Et pfff ! Bruce disparaît dans un éclair de gloire (*Blaze of glory*).

X-MEN

CONTRE

LA LIGUE DES JUSTICIERS

★ **Qui gagnerait** ★
une bataille
de super héros ?

POUR ALLER PLUS LOIN

Batman *contre* **Wolverine**
Superman *contre* **Professeur X**
Wonder Woman *contre* **Tornade**

X-MEN

Voici trois raisons pour lesquelles les X-Men gagneraient n'importe quel combat : leurs **pouvoirs** sont plus **diversifiés**, ils ont un excellent chef et ils sont **plus poilus**. La Ligue des justiciers n'a que deux éléments valables : Superman et Green Lantern. À part eux, on trouve Batman, qui entretient une relation plus que douteuse avec Robin, et les Jumeaux, dont la relation intrigue tout autant. En plus, il faut bien reconnaître que le fait de pouvoir se transformer en eau ou en pélican ne serait pas d'un grand secours face à un Wolverine en rage ! Le reste de la Ligue n'est composée que de héros de second rang comme Mister Miracle ou Blue Beetle. On connaît les points faibles respectifs de Superman et Green Lantern : la kryptonite et la couleur jaune... Je parie que Professeur X est parti s'acheter un nouveau costume jaune incrusté de kryptonite !

LA LIGUE DES JUSTICIERS

Mis à part Batman qui est parfois d'humeur maussade, les membres de la Ligue maîtrisent leurs démons intérieurs et leurs **superpouvoirs**. Ils sont **aimés et soutenus par la population**. On ne peut pas en dire autant des X-Men, qui ont pas mal de problèmes à régler. Malicia ne peut pas entretenir de relation intime (elle ne peut pas toucher les gens), le triangle amoureux entre Cyclope, Wolverine et Jean Gray les rend tous les trois vulnérables et capables de trahison, etc. La plupart des X-Men sont en pleine puberté, ils doivent donc faire face à des poussées d'hormones et aux sautes d'humeur qu'elles provoquent. Professeur X est trop occupé à faire du baby-sitting pour avoir le temps de trouver un moyen de vaincre Superman, qui, au final, remportera le match !

CLOWNS

CONTRE

MIMES

★ **Quel est** ★
le comique
le plus ennuyeux ?

CLOWNS

MIMES

Les clowns sont bien intégrés à la société : ils organisent des **fêtes d'anniversaire**, des jeux et ils font des blagues. Les mimes, eux, sont effrayants et ennuyeux. Certes, on peut avoir un peu pitié d'eux, car ils se retrouvent souvent enfermés dans des boîtes ou contraints d'affronter des vents violents, mais, après tout, ce sont eux qui s'infligent ces supplices ! Un mime est un **ninja énervant**. Silencieux, souvent vêtu de noir, le visage maquillé… et s'il n'a pas le pouvoir de vous tuer comme un ninja, rien que le fait de devoir le regarder est une torture. Assez, faites-le disparaître ! (Par exemple, en descendant un escalier imaginaire.)

LE SAVIEZ-VOUS ?
Détails amusants sur le Mime Marceau.

- Il a fait partie de la Résistance pendant la Seconde Guerre mondiale et a aidé à faire passer des enfants juifs d'Allemagne vers la Suisse.
- Il a été interprète pour de Gaulle pendant la guerre.
- Pour son *moonwalk*, Michael Jackson s'est inspiré de la marche contre le vent du Mime Marceau.

CASTING DE GREASE

CONTRE

CASTING DE *HIGH SCHOOL MUSICAL*

★ Quelle troupe ★ remporterait le concours des meilleurs danseurs ?

CASTING DE GREASE

John Travolta, Olivia Newton-John, Stockard Channing et le reste de la bande du lycée Rydell High avaient plus de **talent** que leurs adversaires de *High School Musical*, malgré leurs tenues roses un peu vieillottes. Ils étaient également plus **expérimentés**, puisque tous les acteurs avaient en réalité plus de 30 ans. Bien avant la scientologie, la calvitie et un travestissement spectaculaire dans *Hairspray*, Travolta a **fait sensation** et fut la première idole des adolescents avec sa performance du stéréotype de l'Italo-américain. C'était un vrai acteur et un danseur très doué. Zac Efron est ennuyeux, et sa coupe de cheveux désastreuse.

CASTING DE HIGH SCHOOL MUSICAL

L'avantage incontestable de la troupe de HSM, c'est la **diversité** ethnique, surtout dans un concours contre une troupe de blancs. Zac Efron est tellement cool que son nom ne s'écrit pas avec un K, et Vanessa Hudgens a prouvé qu'elle avait **beaucoup d'atouts** (même sans les photos volées parues sur Internet). Le reste du casting est tout aussi talentueux, voire plus, que celui de *Grease*. D'ailleurs, Jeff Conaway, qui jouait le rôle de Kenickie dans *Grease*, est plus connu dans les centres de désintoxication que dans les salles de ciné…

QUIZ
Vrai ou faux ?

a. Susan Dey, de la série *The Partridge Family*, a refusé de jouer le rôle de Sandy.

b. Henry Winkler (Fonzie de *Happy Days*) a refusé le rôle de Danny pour ne pas se faire cataloguer.

RÉPONSE : les deux propositions sont vraies !

ONCLE JESSE DE *SHÉRIF FAIS-MOI PEUR*

CONTRE

ONCLE JESSE DE *LA FÊTE À LA MAISON*

★ **Quel est le meilleur** ★
Oncle Jesse ?

ONCLE JESSE DE *SHÉRIF FAIS-MOI PEUR*

Cet Oncle Jesse a été la **voix de la raison**. À la fois ferme et intelligent, ce chef de famille a su laisser ses neveux vivre leur vie de jeunes tout en restant assez **vigilant** pour empêcher sa nièce Daisy de tomber enceinte et essayer de rallonger la longueur de ses shorts. Et si on peut juger la valeur d'un Oncle Jesse aux jeunes femmes sexy qui l'entourent (ce qui est certainement la meilleure manière de le juger !), alors c'est Jesse Duke qui gagne. Quoi qu'on puisse dire des jumelles Olsen aujourd'hui, le sex-appeal de Catherine Bach dans ses **mini-shorts** a fait tourner bien des têtes !

ONCLE JESSE DE *LA FÊTE À LA MAISON*

Oncle Jesse de *La Fête à la maison* possède l'une des plus belles **coupes de cheveux** de tous les temps. Interprété par John Stamos, cet Oncle Jesse était à la fois une rock star et un citoyen honnête. Après le décès de sa sœur, il s'est révélé être un oncle **aimant et dévoué** envers ses nièces. Pour leur bien, il a supporté leur père Danny Tanner – un sacrifice qui montre qu'il est parvenu à **maturité** bien plus tôt que Jesse Duke. Vivre en faisant de la contrebande d'alcool, il y a mieux, quand même… L'alcoolisme était d'ailleurs un gros problème dans le comté de Hazzard.

LE SAVIEZ-VOUS ?
Le test de l'oncle Jesse.

Vous voulez savoir si vous êtes trop vieux/vieille pour sortir avec quelqu'un ? Demandez-lui qui est Oncle Jesse. Si il/elle répond « John Stamos » alors que vous pensiez à Denver Pyle, alors vous êtes trop vieux/vieille !

COURTNEY LOVE

CONTRE

AMY WINEHOUSE

★ Quelle est ★
la pire
catastrophe ambulante ?

COURTNEY LOVE

Courtney Love a été l'une des premières célébrités à afficher ses **problèmes**, elle représente la figure emblématique des stars droguées, en quelque sorte. À côté d'elle, Amy Winehouse ressemble à une bonne sœur. Par exemple, Amy a reconnu avoir des problèmes de dépression et des troubles alimentaires alors que Courtney avoue avoir pris de l'**héroïne** pendant sa grossesse. Avantage à Love ! Amy a été condamnée à passer 28 jours en cure de désintoxication, et Love à six mois de **prison ferme**. Avantage à Love ! Winehouse s'est battue avec son mari, qui a été légèrement blessé, Love est soupçonnée d'avoir joué un rôle dans la mort d'un musicien de génie. Avantage à Love ! Elle a même été nominée au Golden Globe pour son rôle de droguée dans le film *Larry Flint* (pour s'y préparer, elle a passé plusieurs mois à apprendre comment jouer une femme *moins* défoncée qu'elle en temps normal).

AMY WINEHOUSE

Le chignon-choucroute d'Amy Winehouse est à lui seul plus **fou** que Courtney Love dans son ensemble. Bien que sa carrière soit assez courte pour le moment, Amy a déjà à son actif une liste d'addictions plus longue que ses dents. Aucun séjour en cure de désintoxication n'empêchera cette diva de sortir dans la rue en soutien-gorge ni de gratter ses **croûtes** en public. À côté d'elle, Courtney Love fait figure d'actrice accomplie. Vous savez ce qu'Amy fait sur un tournage ? Elle fume du **crack**. Et n'oublions pas qu'à 26 ans elle doit avoir des poumons plus encrassés que ceux d'un mineur de 80 ans !

KING KONG

CONTRE

GODZILLA

★ Qui sortirait ★ vainqueur de ce combat de titans ?

KING KONG

King Kong est sans conteste le plus **agile**. En effet, Godzilla est un peu groggy, puisqu'il se réveille tout juste d'un sommeil profond. Et, honnêtement, vous pensez vraiment qu'il peut gagner un combat si important alors qu'il vient à peine de retrouver ses sensations ? En plus, King Kong a des membres qui lui permettent de **grimper** sans problèmes en haut des **gratte-ciel**, alors que les deux bras courts de Godzilla ne lui servent pas à grand-chose. Comme un chat triomphant d'un chien, King Kong trouve refuge en hauteur. Mais, à la différence d'un chat (enfin, à la différence du mien en tout cas !), il a des méga **muscles** et une force destructrice grâce à laquelle il mettrait **KO Godzilla** d'une simple droite.

GODZILLA

C'est incontestablement lui le plus **fascinant**. Le fait qu'il se réveille juste d'un sommeil quasi éternel est loin d'être un inconvénient. Au contraire, ça le rend encore plus étrange. Et ce qui est étrange peut devenir effrayant... L'haleine matinale de Godzilla est **enflammée**, et le poil de singe, ça brûle facilement ! Même si King Kong se réfugie en hauteur, Godzilla a une vision ultra puissante et peut même voler (ça dépend des versions). Sa capacité à se cacher et à se dissimuler lui permet de se défendre contre les coups du singe déchaîné. Et King Kong a une faiblesse que Godzilla ne connaît pas : comme beaucoup de créatures, il a du mal à résister aux belles femmes. Face à un adversaire aussi dur que Godzilla, un singe un peu distrait risque de se retrouver transformé en **chair à pâté**.

U2

CONTRE

LES BEATLES

★ Quel est ★
le meilleur groupe
de tous les temps ?

U2

LES BEATLES

Au niveau des **paroles** et des accompagnements, c'est incontestablement U2 le gagnant. Les riffs magnifiques et uniques du guitariste sont la base du groupe. L'infériorité des Beatles se ressent (ou s'entend) au niveau des textes, que Paul McCartney a toujours considérés comme secondaires (il paraît que *Yesterday* a été composée au départ avec les paroles : « Œufs brouillés, oh comme j'aime les œufs brouillés »). John Lennon a écrit ses plus beaux textes lorsqu'il a travaillé en solo. Bravo, Bono, quoi que tu fasses, tu es la plus grande **rock star** de tous les temps !

Les Beatles sont le **meilleur groupe** qui ait jamais existé. C'est incontestable, inutile de discuter ! L'influence du groupe sur la culture et le monde en général est **incommensurable**. Alors, c'est vrai, les concerts de U2 sont des spectacles à part entière, avec jeux de lumière et effets sonores, mais tous ces artifices n'existaient pas du temps des Beatles. Et, sans cela, le groupe provoquait tout de même l'**hystérie** et faisait s'évanouir les filles. Ajoutez un discours de Bono de 15 minutes en plein milieu d'un concert et, ça y est, les Beatles peuvent aussi être promus le meilleur groupe sur scène.

POUR ALLER PLUS LOIN
Qui choisiriez-vous pour boire un verre, avoir une relation sans lendemain ou vous marier ?

Ringo, George *ou* John ?

Paul McCartney, Bono *ou* Bill Clinton ?

La batterie, la guitare *ou* la basse ?

JETEZ-VOUS À L'EAU :

BATAILLE EN CHANSON

Jusqu'à présent, nous vous avons fourni les arguments. C'est maintenant à votre tour de montrer vos capacités d'argumentation. Trouvez un adversaire de taille, choisissez votre camp et préparez-vous à la bataille.

★ Qui gagnera ★ ces joutes musicales ?

Mickael Jackson (en pleine gloire) contre Prince (en pleine gloire)

Charlotte Gainsbourg contre Vanessa Paradis

Brel contre Brassens

Diana Ross contre Donna Summer

The Grateful Dead contre The Doors

Wolfgang Amadeus Mozart contre Johann Brahms

Marvin Gaye contre Al Green

The Police contre Sting (solo)

Jean-Jacques Goldman contre M

Jimi Hendrix contre Eddie Van Halen

The Beach Boys contre The Bee Gees

Barbara Streisand contre Céline Dion

Bon Scott d'AC/DC contre Brian Johnson d'AC/DC

Les Guns n' Roses des années 1980 contre Les Guns n' Roses
des années 2000

Eddie Mitchell contre Johnny Halliday

The Who contre The Rolling Stones

Mylène Farmer contre Madonna

I Am contre NTM

SCHTROUMPFS
CONTRE
BISOUNOURS

★ Quelle tribu ★
serait
la plus forte ?

Diviser pour mieux régner : les Bisounours ont généralement besoin de se rassembler pour préparer leur arc-en-ciel. Les Schtroumpfs, eux, tentent de diviser l'ennemi en le prenant par surprise.

Alliances : les Schtroumpfs ont un atout majeur, leur nombre. Mais les Bisounours ont de nombreux cousins qui possèdent d'autres méthodes d'attaque, comme Toucalin le Pingouin, Toubrave le lion et Toumalin le raton laveur.

Lieu d'attaque : si les Schtroumpfs veulent attaquer, ils devraient essayer de le faire dans le Jardin des Bisous, en entrant par la Forêt Toutamour, où ils pourront mettre en pratique leurs tactiques de guerre.

SCHTROUMPFS

Chaque citoyen de la République socialiste de Schtroumpfland sait **sacrifier ses désirs individuels** pour le bien de tous. Chaque Schtroumpf possède une qualité particulière. Ils forment donc une armée complète, dotée d'un commandant (le Grand Schtroumpf) et de soldats qui, ingénieux (le Schtroumpf bricoleur), intelligent (le Schtroumpf à lunettes), drôle (le Schtroumpf farceur) et gourmand (le Schtroumpf gourmand). Ce sont tous des **combattants redoutables**, et ils sont capables de garder leur village hors de portée de l'homme. Ils savent également concevoir des armes et des machines (comme des catapultes, des béliers, etc.), qu'ils utilisent régulièrement pour **parer les attaques de Gargamel et de son chat Azraël**. En plus, étant donné que le ratio homme/femme est de 99 pour 1, ils sont tous particulièrement excités et donc prêts à se battre. En résumé, les Schtroumpfs vont schtroumpfer le schtroumpf des Bisounours !

BISOUNOURS

L'arme principale des Bisounours, c'est leur rayon ventral qui projette de **l'amour**, de **l'amitié** et de la **bonne humeur,** et qui surpasse n'importe quelle arme mise au point par les Schtroumpfs. Chaque Bisounours porte sur son ventre un **symbole** représentant son rôle et ses qualités. C'est de là que surgissent toutes sortes d'armes de combat, comme des ballons en forme de cœur, des ponts en arc-en-ciel, des gâteaux d'anniversaire ou des signaux de détresse. Au combat, Grobisou et Grojojo enverront une décharge d'amour. Attention, Schtroumpfs, préparez-vous à tomber dans des abîmes de joie infinie. Gagnants : les ours !

DRACULA

CONTRE

MONSTRE DE FRANKENSTEIN

★ Qui gagnera ★ le combat des morts-vivants ?

POUR ALLER PLUS LOIN

Un zombie *contre* Une momie ?

Un Bigfoot *contre* Vingt farfadets ?

Un vampire avec une entorse *contre* Un loup-garou qui vient de rompre avec sa fiancée ?

DRACULA

Érudit et beau parleur, Dracula se vante de posséder des **siècles de sagesse** et un diplôme en magie noire (avec une option « art dramatique ») de l'académie de Scholomance, en Transylvanie. La créature du Dr Frankenstein, elle, a le même point faible que de nombreux monstres : une absence flagrante de rapidité de mouvement. Et, au même titre que les momies et les zombies, cette torpeur la rend vulnérable. À cause de sa démarche bizarre et de sa difficulté à se chausser, il est très facile de lui **échapper**, d'autant plus pour quelqu'un capable de se changer en **chauve-souris**. En fait, le monstre de Frankenstein ressemble à un joueur de basket dégingandé : c'est un excellent défenseur qui rattrape les balles perdues, mais dont l'agilité et la rapidité sont limitées.

MONSTRE DE FRANKENSTEIN

Le monstre de Frankenstein est lent, c'est indéniable. Mais, ne vous y trompez pas, **l'imprévisibilité** est **l'arme secrète** des monstres lents et malhabiles, et elle provoque un **choc** aussi **paralysant** que le plus venimeux des poisons. Imaginez : Dracula mord le monstre de Frankenstein par surprise. Rien ne se passe... Le vampire est tétanisé et ne parvient même pas à se transformer en chauve-souris. Le monstre le **frappe violemment** à la tête puis lui plante un pieu en bois dans le cœur. L'attaquant devient la victime, et Dracula retourne au royaume des morts.

TOMKAT

CONTRE

POSH & BECK

CONTRE

BENNIFER 2.0

★ Quel est ★
le deuxième plus beau
couple
(après Brangelina
évidemment !) ?

TOMKAT : TOM CRUISE ET KATIE HOLMES

+ : acteurs hollywoodiens reconnus, taille (de Katie), Suri.

- : la scientologie, les accès de folie en public.

BENNIFER 2.0 : BEN AFFLECK ET JENNIFER GARNER

+ : belles pommettes, taille, tendance à rester loin des projecteurs.

- : choix de films, problèmes de drogue, tendance à rester loin des projecteurs.

POSH & BECK : VICTORIA BECKHAM (EX-POSH SPICE) ET DAVID BECKHAM

+ : potentiel de superbes enfants, accent british, sens de la mode, beauté surhumaine.

- : manque de profondeur, coiffures trop travaillées, liaisons extraconjugales qui mettent le couple en péril et implants mammaires trop gros pour un corps d'anorexique.

JOKER
Faux couples de stars dont l'association des deux noms donnerait un nom de poisson :

- Albacore (Jessica Alba et Corey Feldman)
- Sardean (Sarah Jessica Parker et James Dean)
- Barbue (Drew Barrimore et Tim Burton)

CAPITAINE KIRK

CONTRE

CAPITAINE PICARD

★ Qui gagnerait ★ la bataille navale ?

CAPITAINE KIRK

Kirk possède tous les atouts et les armes d'un jeune homme viril : il a un mouliné des poings exceptionnel, il réalise des plongeons spectaculaires et il est imbattable en prises de karaté. Il possède tous les meilleurs coups de **combat à mains nues** du XXIIIe siècle, en quelque sorte. Il a également un côté obscur, dangereux, un peu **bestial**, comme un **Mugato** (voir l'épisode 48, « Guerre et magie »). Il est **brave** et téméraire, qualités indispensables à un capitaine de vaisseau de la Starfleet. Picard, lui, n'est qu'un vieillard apathique comparé à Kirk.

CAPITAINE PICARD

Ne vous faites pas avoir par son crâne brillant, Picard est fort **viril** ! Il est sérieux et **sage**, surtout par rapport à Kirk qui est à peine sorti de ses couches. Et je préfère ne pas imaginer toutes les maladies vénériennes galactiques que ce dernier a dû contracter… Le Dr Leonard McCoy a bien dû passer les trois-quarts de son temps à le soigner ! Le capitaine Picard a repoussé les Borgs, sauvé la planète des Binars et dirigé des troupes intergalactiques avec conviction et aplomb. C'est sûr, il battrait Kirk à **plates coutures** !

POUR ALLER PLUS LOIN

M. Spock *contre* **Le lieutenant commandeur Data** : qui gagnerait une partie de poker ?

Dr Leonard McCoy *contre* **Le lieutenant Worf** : qui serait le meilleur juge de la Nouvelle Star ?

Le lieutenant commandeur Scott *contre* **Le lieutenant Sulu** : lequel préféreriez-vous incarner ?

INTERVILLES

CONTRE

FORT BOYARD

★ **Quel est** ★
la meilleure émission
de jeux d'été ?

INTERVILLES

Vous en connaissez beaucoup des émissions qui, au bout de 50 ans, remportent toujours le même succès chaque été ? C'est le cas d'*Intervilles* qui a été diffusée pour la première fois en juillet 1962. Véritable phénomène de société grâce à son côté **populaire** et jubilatoire, c'est **l'émission fédératrice par excellence**, qui fait rire petits et grands. Allez, reprenez avec moi tous en chœur : « la la la la la la, la la la la la ! » Pas besoin d'araignées ni de serpents répugnants pour faire de l'audimat, il suffit d'un toboggan bien glissant à escalader et d'une ou deux vachettes énervées, et le tour est joué. Passe-Partout, tu peux toujours cavaler…

FORT BOYARD

Simone, Guy et Léon, vous êtes bien gentils, mais à l'image de votre émission : franchouillards ! Alors que *Fort Boyard* a un **retentissement international** (l'émission est diffusée dans une trentaine de pays). Et puis le concept du jeu est quand même un peu plus élaboré qu'*Intervilles* : OK, c'est rigolo de voir des participants s'étaler, mais un peu lassant à la longue. Alors que, dans *Fort Boyard*, on est sans cesse stimulés par des énigmes à résoudre et des épreuves nécessitant adresse physique et capacité de réflexion. Quant au **charisme du Père Fouras**, il est incontestablement supérieur à celui de tous les présentateurs du monde !

QUIZ
Parmi les personnages suivants, lesquels font partie de l'univers de *Fort Boyard* ?

a. Le magicien
b. Passe-Muraille
c. La Boule

d. Passe-Temps
e. Monsieur Tchan

RÉPONSE : tous jouent un rôle dans l'émission !

MACGYVER

CONTRE

L'AGENCE
TOUS RISQUES

★ Qui est ★
le plus inventif ?

MACGYVER

C'est **LE bricoleur par excellence**, toujours plein de ressources et d'idées, capable de tout créer à partir de rien. Cet agent secret du département des services externes a **délivré des otages**, désamorcé des bombes et découvert des complots, et tout cela sans violence. Contrairement à *L'Agence tous risques*, il a un **code moral** et il le respecte. Il prend ses décisions tout seul, et il les assume. Donnez un poisson à n'importe qui, il le mangera. Donnez-le à MacGyver, il s'en servira pour désamorcer une bombe.

L'AGENCE TOUS RISQUES

L'Agence tous risques est **équilibrée et complète** : un quart de chef culotté (Hannibal), un quart de brute épaisse et comique (Barracuda), un quart de **séducteur** beau parleur (Futé) et un quart de folie et d'intelligence déjantée (Looping). Essayez un peu d'enfermer l'équipe dans une grange ou une cellule de prison… Éloignez-vous et regardez le spectacle : soudure, sciure, création d'armes et de lance-flammes improvisés. Ces mecs sont des durs, des **vétérans** de la guerre du Vietnam, alors que MacGyver est un fervent défenseur du contrôle de l'utilisation des armes – sa préférée étant le couteau suisse. Bonne chance, Mac, pour mettre Barracuda à terre avec ton tire-bouchon et ton cure-dents en plastique !

JOKER
Comment transformer les objets suivants en armes ?

Un chausse-pied, un chewing-gum et un chandelier rouillé.
Un castor mort, une brique de lait vide et un cerf-volant.
Des bonbons, une canette de coca, un élastique et des punaises.

JETEZ-VOUS À L'EAU :

COMBATS À L'ÉCRAN : UN SEUL SURVIVANT !

Jusqu'à présent, nous vous avons fourni les arguments. C'est maintenant à votre tour de montrer vos capacités d'argumentation. Trouvez un adversaire de taille, choisissez votre camp et préparez-vous à la bataille.

★ Qui gagnerait ★ ces batailles fictives ?

Spiderman contre **Batman**

L'étoile de la mort contre **Le vaisseau de la Borg Queen**

Sarah Connor de *Terminator* contre **Ellen Ripley d'***Alien*

Alien contre **Predator (lors d'une partie de poker)**

Lassie contre **Belle**

Laurence Ferrari contre **Mélissa Theuriau**

Hannibal Lecter du *Silence des agneaux* contre **Norman Bates de** *Psychose*

Charlie Chaplin contre **Dark Maul**

Neo contre **Luke Skywalker**

Inspecteur Harry contre **Indiana Jones**

Les filles de *Sex and the City* contre **Les filles de** *Desperate Housewives*

Les Jonas Brothers contre **Les Frères Baldwin**

Rocky contre **Jake LaMotta (De Niro dans** *Raging Bull***)**

John McClane de *Piège de cristal* contre **Greedo de** *La Guerre des étoiles*

Jackie Chan contre **Bruce Lee**

Maximus Meridius (le Gladiator) contre **Zorro**

ELVIS GROS

CONTRE

ELVIS MINCE

★ **Qui gagnerait** ★
la bataille
des Elvis ?

ELVIS GROS

Quand on y réfléchit, c'est lui la véritable icône, avec ses larges **favoris**, ses vestes à sequins et ses lunettes de soleil. C'est un personnage **énorme**, au propre comme au figuré. Ses chansons étaient toujours belles (« Suspicious minds », « Burning Love ») et laissaient entrevoir sa maturité et sa perception de la société (« In the ghetto »). En plus, si l'imitation est la plus belle forme de reconnaissance, force est de constater que la plupart de ceux qui imitent Elvis choisissent le gros plutôt que le mince. Le gringalet a terni sa réputation en enchaînant les mauvais films, tandis que le gros Elvis a **triomphé à Vegas**.

ELVIS MINCE

Elvis mince = jeune, beau gosse, baroque = le vrai Elvis. Le gros Elvis a arrêté de faire ses pas de **danse**, qui étaient pourtant sa signature, par peur de se briser la hanche, et il est mort d'une overdose de médicaments. Il était devenu le fantôme du rock and roll, la fin terrible d'un **héritage** qui aurait dû être impossible à ternir. S'il y a davantage de personnes qui imitent le gros Elvis, c'est tout simplement parce qu'il est plus facile d'imiter une personne grosse et dépourvue de talent qu'un chanteur svelte et talentueux.

POUR ALLER PLUS LOIN
Quel rockeur a le plus mal vieilli ?

Paul McCartney *contre* **Ringo Starr**

Johnny Halliday *contre* **Eddie Mitchell**

Keith Richards *contre* **Michael Jackson**

David Crosby *contre* **Jim Morrison**

Janis Joplin *contre* **Linda Ronstadt**

DUMBLEDORE

CONTRE

GANDALF

★ Qui sortirait ★ vainqueur du duel des sorciers ?

DUMBLEDORE

Certains sorciers vous diront que « ceux qui ne savent pas faire de la magie l'enseignent, et ceux qui ne savent pas l'enseigner enseignent les potions magiques », mais cela est loin d'être exact. Dumbledore a **gagné en maîtrise** de la magie à travers l'**enseignement**, ce qui le rend meilleur que Gandalf. On ne connaît pas l'étendue de ses pouvoirs, qu'il cache précieusement et n'utilise qu'en cas de grande nécessité. Comme son phœnix, il est revenu des **profondeurs inconnues**. Il ne vit pas dans une tour d'ivoire, bien au contraire. À plusieurs reprises, il a joué un rôle clé dans l'éviction de Celui-dont-on-ne-doit-pas-prononcer-le-nom, avec beaucoup d'assurance, car il maîtrise parfaitement la magie. Gandalf, lui, a failli ne pas sortir vivant d'un combat contre un Balrog pour défendre Morwen.

GANDALF

Dans un combat de magiciens, c'est Gandalf le favori. Gandalf (également appelé Olórin, Tharkûn ou Mithrandir) est l'un des Maiars **puissants** de Valinor, un Istari (Mage) **immortel** voué à servir les Valar et le créateur Ilúvatar et à empêcher Sauron de prendre le contrôle de la Terre du Milieu. Derrière ses airs de vieillard grincheux, il cache une force physique et magique extraordinaire. Il a combattu le mal pendant plus de deux mille ans ! Instruit par Nienna dans les jardins de Lórien, il sait quand il faut se servir de la magie. Même Galadriel, la souveraine de la Lothlórien, a dit qu'il était le plus **savant** des sorciers. C'est donc bien lui le meilleur.

GUITARISTE
CONTRE
BATTEUR

★ Qui est ★
le meilleur musicien
du groupe ?

GUITARISTE

Tous les ados qui rêvent de devenir musiciens veulent être **Eric Clapton**, **Jimi Hendrix** ou John Lennon. Personne ne veut être Max Weinberg ou Ringo Starr. Ce serait comme rêver de devenir footballeur remplaçant… Honnêtement, la batterie, ça ne doit pas être si dur puisqu'on peut y jouer en n'ayant qu'un seul bras (comme Rick Allen du groupe Def Leppard). Et pourquoi les **batteurs mettent-ils des gants** ? À quoi ça sert de se protéger les mains pour tenir deux baguettes aussi légères et fines qu'une paille ? C'est vrai, un solo de batterie est un exercice difficile, qui demande de l'endurance physique et psychologique de la part… (roulement de tambour) du public !

BATTEUR

Qu'est-ce qui est au *cœur* du rock ? Le *battement* bien sûr, le rythme, le *beat* (certainement pas le *grattement*). Physiquement et musicalement, le batteur est la **colonne vertébrale** du groupe (pensez à Phil Collins pour Genesis, Don Henley pour les Eagles, ou à **Animal dans le Muppet Show**). Un groupe sans guitariste, ça donne Keane (groupe de pop britannique qui a fait trois albums qui se sont retrouvés en tête des classements), mais un groupe sans batteur, ça donne Simon and Garfunkel (on a connu plus dynamique, non ?). Et, cerise sur le gâteau, les batteurs sont capables de jouer pendant plusieurs heures d'affilée, car ils sont en excellente santé !

LES 300 SPARTIATES

CONTRE

LES COMBATTANTS DE BRAVEHEART

★ **Quelle armée** ★
gagnerait la guerre ?

POUR ALLER PLUS LOIN
Que préféreriez-vous ?

• Vivre en sépia comme dans *300* ou être maquillé au quotidien comme un acteur de *Braveheart* ?

• Écouter un discours de guerre prononcé par Mel Gibson bourré ou par un enfant de 4 ans ?

• Boire un verre avec quelqu'un qui parle avec un faux accent écossais ou avec quelqu'un qui est habillé comme un personnage des *300* ?

LES 300 SPARTIATES

Peut-être que les chiffres ont été un peu revus à la baisse et qu'il y avait plus de 300 hoplites spartiates pour combattre le million de soldats de l'armée perse, mais les historiens confirment que la bataille des Thermopyles était bien déséquilibrée et que c'est la **tactique**, le **génie** et la volonté de fer du roi Léonidas qui lui ont permis de gagner la bataille. Les Spartiates battraient les Écossais de la même manière, en les coinçant dans un endroit étroit (après les y avoir attirés avec du whisky, par exemple) et en les **faisant tomber** avec leurs arcs. William Wallace avait peut-être des couilles, mais le roi de Sparte, lui, a vaincu des Barbares, des rhinocéros et des éléphants, et a sérieusement entamé la réputation du grand roi Xerxès.

LES COMBATTANTS DE *BRAVEHEART*

Certes, les Spartiates sont bien **amochés**, mais il faut dire que le sépia en rajoute, aussi ! Et puis, si vous remarquez leurs blessures, c'est que leurs armures ne les protègent pas suffisamment. Ils sont habillés comme pour un combat d'été, ils sont vulnérables. Alors que les combattants de *Braveheart*, eux, sont non seulement équipés correctement, mais ils sont également ultra motivés grâce à leur chef William Wallace et aux petites phrases dont il a le secret. C'est sûr et certain, les Écossais vont donner le meilleur d'eux-mêmes et gagner la bataille, après avoir établi une **tactique imparable**.

TERMINATOR

CONTRE

ROBOCOP

★ **Qui sortirait** ★
vainqueur
d'un cyber duel ?

TERMINATOR

Petite précision avant de commencer : nous parlons du T-800, du premier *Terminator* (le robot conçu avec des **muscles d'acier** et un **accent autrichien** monotone, pas du T-1000 tout mou qui se liquéfie sur place). Face à Robocop, Terminator gagne dans **toutes les catégories** : il est plus rapide, plus fort et plus drôle. Comme il est en partie humain, Robocop est en proie à des émotions qui le distraient. L'arsenal dont est équipé Terminator est bien plus efficace que l'Auto-9 de Robocop. La grande question, c'est plutôt par quelle petite phrase assassine Terminator va l'achever… Peut-être : « Il serait temps de penser à ta reconversion, non ? »

ROBOCOP

Ne vous laissez pas impressionner par les muscles ! Terminator est l'équivalent cyborg du footballeur vedette du lycée. L'intelligence artificielle de Robocop lui permet de composer des phrases complètes et, comme il est **partiellement humain**, il est capable de **s'adapter** à des situations nouvelles. Comparé à Terminator, il est à la pointe de la technologie. Il possède des mitrailleuses, des lance-missiles et même un propulseur dorsal. Grâce à son armure en titane doublée d'une épaisseur en Kevlar, il peut survivre à des bombes, aux flammes et à des rafales de balles. C'est terminé, Terminator !

QUIZ
Qui a dit quoi ?

a. « HASTA la vista, baby ! »

b. « VOUS allez venir avec moi, mort ou vif ! »

ART GARFUNKEL

CONTRE

JOHN OATES

★ **Quel est** ★
le meilleur partenaire
sur scène ?

ART GARFUNKEL

Dans Garfunkel, il y a « **fun** », ça veut déjà dire beaucoup. Ensuite, la rencontre de Garfunkel avec Paul Simon l'a irrémédiablement associé au succès. Leur plus grand hit, « Bridge over troubled water », est resté numéro 1 des classements pendant six semaines d'affilée et leur a fait gagner le Grammy Award de la meilleure chanson. En outre, Garfunkel a également chanté en solo. On entend sa voix éthérée de **ténor** sur la B.O. du film *Le Lauréat*, alors que Hall et Oates ont accepté d'associer leur chanson *Rich Girl* à un épisode de la série *Rick Hunter*. Non, vraiment, ce débat ne devrait même pas avoir lieu ! Art Garfunkel travaillait avec Paul Simon. Il connaissait Paul Simon. Qui est Daryl Hall comparé à Paul Simon ?

JOHN OATES

Méfie-toi, Artie, John Oates pourrait bien te manger tout cru. C'est le « **maneater** » (mangeur d'hommes) dont les compositions se sont retrouvées plus d'une dizaine de fois en tête des classements, celui qui a **donné envie** à des millions d'hommes de se laisser pousser la **moustache**, et qui a chanté dans les chœurs sur « We are the world ». Il était où, Art Garfunkel, pendant l'enregistrement ? La famine, ça ne lui a pas semblé une bonne cause à combattre ? En fait, Garfunkel sans Paul Simon, ce n'était que le type aux cheveux frisés qui s'y croyait un peu trop au karaoké… Et il ne jouait même pas d'un instrument ! Quand on y réfléchit bien, l'a-t-on déjà vu les mains hors des poches ?

LE SAVIEZ-VOUS ?

Paul Simon a été nommé deux fois au *Rock and Roll Hall of Fame,* une fois avec Art Garfunkel en 1990, et une fois en solo en 2001.

KITT

CONTRE

OPTIMUS PRIME

★ **Quel bolide** ★
gagnerait la course ?

KITT

Deux mots suffisent : *turbo boost* ! En ligne droite, KITT peut monter jusqu'à **480 km/h**. La voiture est également équipée de toute une **série de gadgets** : grappin, treuil, freins à disques électromagnétiques, revêtement anti-feu, fermeture automatique des portes en cas de traversée d'un quartier un peu glauque… Et KITT peut même rouler sur l'eau ! Optimus, lui, consomme énormément d'essence, ce qui de nos jours signifie que ses trajets coûtent cher. KITT est la voiture autonome de prédilection et, tant qu'elle n'est pas conduite pas un David Hasselhoff éméché, c'est elle qui passera la première devant le drapeau à damiers.

OPTIMUS PRIME

La supériorité de Prime saute aux yeux. Ses pouvoirs de **transformation** lui permettent de parcourir des terrains escarpés en reprenant sa forme de robot, et donc de sauter ou de grimper alors que KITT doit rester sur la route. En plus d'être indestructible, le **chef des Autobots** est bien connu pour sa ponctualité. Ne vous laissez pas charmer par le faux accent britannique de KITT. Pour ce qui est de l'intelligence artificielle, c'est Optimus qui prime. Et c'est également lui qui dominera la course.

POUR ALLER PLUS LOIN

KITT est l'acronyme de *Knight Industries Two Thousand* dans la série K 2000 (*Knight Rider*), ainsi que de *Knight Industries Three Thousand* dans la série *Le Retour de K2000*. Il s'agit du nom de l'intelligence artificielle installée dans une voiture munie de fonctions avancées (une Pontiac Trans Am Firebird 1982 T-top noire modifiée).

Chapitre 5

Science
et
Nature

SYSTÈME MÉTRIQUE INTERNATIONAL

CONTRE

SYSTÈME MÉTRIQUE AMÉRICAIN

★ Se mesureront-ils ★ l'un à l'autre ?

QUIZ
Parmi les propositions ci-dessous, lesquelles sont des unités de mesure ayant existé ?

a. coudée : environ 45 cm

b. mickey : plus petite unité de mesure du déplacement d'une souris d'ordinateur

c. pleln : distance entre votre nez et le mur du jardin

d. brasse : mesure correspondant à l'envergure des bras

RÉPONSE : *a, b* et *d* sont vraies.

SYSTÈME MÉTRIQUE INTERNATIONAL

Avant l'adoption du système métrique, chaque pays avait ses propres unités et instruments de mesure, ce qui entraînait des confusions incroyables. En **1790**, l'Assemblé nationale française a proposé un système métrique décimal simple, qui a rendu inutiles les tables de conversion et a simplifié les voyages et échanges, puisque tous les pays l'ont adopté – sauf les États-Unis évidemment, qui ont préféré conserver leur système… Et quel système ! Sa **logique** est incomparable : 12 pouces font 1 pied, 3 pieds font 1 yard, 5 280 pieds font 1 mile, et… non, ça devient trop compliqué à retenir…

SYSTÈME MÉTRIQUE AMÉRICAIN

L'**indépendance** et l'**unilatéralisme**, c'est bien ce qui caractérise les Américains. C'est pourquoi, quand tous les autres pays ont adopté le même système métrique, ils ont conservé le leur. Eh oui, comment mesurer l'importance de l'indépendance en se servant d'un système établi par les Français ? Les frites de la liberté sont bien meilleures avec une **once de Budweiser**. Depuis des décennies, les missionnaires du système métrique international essaient de leur faire accepter leur système centimètre par centimètre, mais je vous parie tous vos euros qu'ils ne **bougeront pas d'un pouce** (sauf les dealers qui utilisent déjà les litres et les kilos, mais, bon, ce n'est pas la partie la plus représentative de la population). Et puis quoi encore, après il faudra qu'ils écrivent « theatre » au lieu de « theater » ?

JUPITER

CONTRE

SATURNE

★ **Quelle planète** ★
est la plus cool ?

JUPITER

Jupiter est la reine des planètes. Taille, nombre de satellites (63), **tâche rouge**… elle possède toutes les caractéristiques d'une grande planète. Avec un diamètre d'environ 143 000 km, elle fait **onze fois la taille de la Terre**. Saturne, elle, arrive toujours deuxième. Et elle a un petit problème congénital : c'est la seule planète du système solaire qui ait un bourrelet (elle a un léger renflement au niveau de l'équateur, appelé sphéroïde oblate, dû à la rapidité de sa rotation sur elle-même). Bravo, Saturne, trop cool d'être la planète la plus enflée ! En plus, tes anneaux autour de la taille ne cachent rien du tout…

SATURNE

Saturne est entourée d'anneaux qui rendraient jaloux un spécialiste du hula hoop. C'est la planète la plus **bling-bling** : glace, décharges électrostatiques, particules de tholin (très rare)… De quoi rendre jaloux bien des rappeurs ! En ce qui concerne la **vitesse des vents** qui la parcourent, Saturne n'a rien à envier à Jupiter : 1 800 km/h contre 640 km/h. C'est aussi la seule planète du système solaire qui ait un **vortex polaire chaud**. Tu ferais mieux d'aller te cacher, Jupiter, avec ton gros bouton rouge…

POUR ALLER PLUS LOIN

Mercure *contre* **Uranus**

Mars *contre* **Neptune**

Pluton : vraie planète *ou* **planète naine ?**

UN SEUL OURS POLAIRE

CONTRE

CINQUANTE KOALAS

★ **Qui gagnerait** ★
le combat ?

UN SEUL OURS POLAIRE

Les ours polaires siègent au sommet de leur pyramide alimentaire, ils n'ont donc **jamais peur**. Ce sont les **plus grands prédateurs** de la planète : un ours mâle peut mesurer jusqu'à 3 m et peser 800 kg. Ce sont d'**excellents nageurs**, donc pas de souci si le combat se transforme en bataille navale. Les koalas, eux, sont des marsupiaux, comme les kangourous. Ils passent 16 heures par jour à dormir, ce sont donc des cibles faciles. À la fin du combat, la fourrure immaculée de l'ours polaire pourrait bien être tachée de rouge, et les koalas se retrouver la tête en bas…

CINQUANTE KOALAS

Les griffes des koalas ne sont peut-être pas aussi longues que celles des ours, mais elles ont le mérite d'exister ! Chaque koala en possède vingt. Multiplié par cinquante koalas, ça nous fait mille griffures douloureuses dans la jugulaire. Les koalas ont aussi des **dents très pointues** et coupantes pour déchirer les feuilles d'eucalyptus. Certes, ils se déplacent lentement et ont l'air câlin, mais ils ont également un côté méchant qui peut leur faire pousser des **cris agressifs** et les inciter à se battre, surtout pendant la saison des amours. Ils sont dotés de **pouces opposables**, très pratiques pour attaquer les yeux. Alors peut-être que trente à quarante de ces adorables petites bêtes se sacrifieront pour les autres, mais, au final, il y aura bien une dizaine de koalas vainqueurs qui troqueront l'eucalyptus contre quelque chose d'un peu plus charnu…

POUR ALLER PLUS LOIN
Qui gagnerait ?

Un ornithorynque contre **Une cigogne**

Dix mille fourmis rouges contre **Un tigre**

Un pingouin contre **Un enfant de 2 ans**

EINSTEIN CONTRE NEWTON

★ **Qui gagnerait** ★
le concours
de sciences ?

EINSTEIN

$$R_{pw} - \frac{1}{2} g_{pw}\, R + g_{pw}\Lambda = \frac{8\pi G}{c^4}\, T_{pw} = \text{équation de champ d'Einstein.}$$

NEWTON

$$\vec{F} = \frac{d\vec{p}}{dt} = \frac{d}{dt}\,(m\vec{v}) = \vec{v}\,\frac{dm}{dt} + m\,\frac{d\vec{v}}{dt} = \text{Einstein l'a dans le baba ! CQFD.}$$

RÉPONSE : faux
Newton était très croyant. Il a d'ailleurs écrit davantage sur l'herméneutique que sur les sciences.
Einstein : « Ma position concernant Dieu est celle d'un agnostique. Je suis convaincu qu'une connaissance éveillée de l'importance primaire des principes moraux ne nécessite pas la présence d'un législateur, surtout si celui-ci fonctionne sur la base d'un système de récompense et de punition. »

CROCODILE

CONTRE

LION

★ Qui est ★
le roi
de la jungle ?

POUR ALLER PLUS LOIN

Qui gagnerait le combat à mort dans une cage de 15 m² ?

Cinq mille papillons *contre* **Trente grenouilles taureaux**

Un lion sans pattes avant *contre* **Un chameau**

Un ptérodactyle *contre* **Deux catcheurs**

Un python *contre* **Cinquante Schtroumpfs**

CROCODILE

Le crocodile a une mâchoire ultra puissante, la plus puissante de tous les animaux, avec une force de près de **900 kg/cm²**. Il a également un **cerveau** très élaboré qui lui permet d'apprendre des choses et d'élaborer des stratégies. En outre, sa peau est si épaisse et si dure que le lion ne pourrait pas réussir à le mordre – de nombreux peuples s'en sont d'ailleurs servis pour faire des armures. Caché à la surface de l'eau et immobile, le crocodile a toutes les chances de surprendre le lion en le mordant au cou. Et n'essayez pas de partir en courant en zigzaguant afin de lui échapper, ce n'est qu'un mythe !

LION

Le lion est le **roi de la jungle** – ce qui est très fort, étant donné qu'il vit dans la savane ! Il n'est pas bête et sait qu'il faut rester sur terre pour gagner. Les crocodiles ne poursuivent pas leurs proies, alors que le lion **chasse** et **tue** des girafes, des hippopotames, et même des rhinocéros. Son coup fatal, c'est l'**asphyxie** : il mord sa proie à la gorge ou coince ses narines et sa gueule dans sa mâchoire (technique utilisée contre le crocodile). Et si la mâchoire du crocodile peut être maintenue fermée par un élastique en caoutchouc (comme on le voit souvent dans les films)… le lion devrait être capable de le faire également !

JETEZ-VOUS À L'EAU :

LE PLUS APTE À LA SURVIE

Jusqu'à présent, nous vous avons fourni les arguments. C'est maintenant à votre tour de montrer vos capacités d'argumentation. Trouvez un adversaire de taille, choisissez votre camp et préparez-vous à la bataille.

★ Qui est ★ le plus avancé sur la chaîne de l'évolution ?

Un calamar géant contre Un grand requin blanc

La théorie du réchauffement climatique contre La théorie
du ruissellement

Un gorille contre Un taureau

Un buffle contre Cinq rottweilers

L'invention de la bombe atomique contre L'invention de la télévision

Un aigle à tête blanche contre Un tigre du Bengale

Crick et Watson (découverte de la structure en hélice de l'ADN)
contre Alexander Fleming (découverte de la pénicilline)

Une vache contre Un chihuahua

Un volcan en éruption contre Un tremblement de terre

Cinq cents lucioles contre Une tortue géante

Un chaton contre Un bébé panda

Une plante carnivore contre De la ciguë

GAUCHE

CONTRE

DROITE

★ **Quell e est** ★
la meilleure
direction ?

GAUCHE

Le nombre de gauchers célèbres est proportionnellement très élevé par rapport à celui des droitiers. Beaucoup ont **accompli de grandes choses** : Jules César, Michel-Ange, Paul Verlaine, Jimi Hendrix, Angelina Jolie, Bill Gates… Une étude menée en 2006 aux États-Unis a montré que les hommes gauchers sont 15 % plus riches que les droitiers. Et ça, c'est un argument logique (d'ailleurs, la **logique** est associée au cerveau gauche) ! Intuitivement, la gauche, c'est plus cool. C'est le Mac comparé au PC, c'est l'originalité. Et c'est aussi le **côté du cœur**. Il y a quoi, à droite ? L'appendice ?

DROITE

La droite est la meilleure direction, la direction correcte, **morale** (on dit de quelqu'un de **juste** qu'il est droit). En latin, droite se dit *dexter*, mot qui a donné dextérité. En irlandais, *deas* signifie à la fois « côté droit » et « gentil ». Le mot latin pour gauche est *sinistra*, qui a donné l'adjectif sinistre. Et quand dit-on que quelqu'un est « gauche » ? Quand il est maladroit. Ce n'est pas une coïncidence : si nous faisons moins confiance à la gauche, c'est qu'on l'associe à la faiblesse.

CALVITIE ASSUMÉE

CONTRE

CALVITIE CAMOUFLÉE

★ Qu'est-ce ★
qui est
le plus beau ?

CALVITIE ASSUMÉE

Dans les années 1980, un événement fantastique s'est produit pour les hommes dégarnis : Michael Jordan est devenu chauve. En quelques coups de rasoir, il a érigé le crâne chauve en une **coiffure choisie** par les hommes, volontairement. Trente ans plus tard, le crâne rasé est toujours à la mode ! C'est osé et **provocant**. Regardez les exemples d'hommes chauves connus : le catcheur Steve Austin, Zinedine Zidane, Fabien Barthez, Kojak, les gardes du corps ou les vigiles, etc. La liste est longue !

CALVITIE CAMOUFLÉE

La pauvre mèche de cheveux rabattue en cache-misère sur un front chauve fait généralement bien rire, mais à part certains cas où c'est vraiment flagrant (sur Donald Trump, par exemple), c'est une solution plutôt efficace, qui fait illusion et donne un air assuré (voir Vladimir Poutine ou VGE à ses heures). Vous pouvez vous moquer des perruques et des implants capillaires, mais si Joe Biden est vice-président des États-Unis et PPDA un célébrissime homme de télé, c'est grâce à eux ! Certains sages se sont peut-être contentés de la calvitie (Gandhi, Confucius), mais les cheveux, c'est comme le chocolat : **un peu, c'est mieux que rien**. En plus, avec les traitements médicamenteux miraculeux disponibles de nos jours, c'est vraiment facile de fortifier ses cheveux pour éviter l'effet crâne chauve. Car, une fois que cela arrive, c'est foutu ! Vous êtes catalogué comme « le mec chauve », et vous aurez beau faire tout ce que vous voudrez, ce surnom vous collera à la peau…

L'ÉTÉ

CONTRE

L'HIVER

★ **Quelle est** ★
la meilleure
saison ?

ÉTÉ

L'été, c'est comme un **vendredi qui durerait quatre mois**, où tout le monde fait semblant de travailler. C'est synonyme de **soleil**, de **plage** et de **bronzage**. C'est le moment des départs en vacances, des barbecues, des jeux de plein air, etc. L'hiver, au contraire, est la saison des troubles affectifs saisonniers et des dépressions profondes. Sans parler des kilos superflus, des longues nuits, des boules de neige prises en pleine tête et de l'hypothermie...

HIVER

Bien sûr, il y a le ski, la **luge** et la beauté des paysages enneigés. Mais vous savez ce qui est le mieux en hiver ? C'est de rentrer chez soi après avoir bravé le froid et d'avoir l'impression d'avoir **accompli quelque chose**. Se dire : « Yes, tu l'as fait ! » et se réconforter avec une bonne tasse de **chocolat chaud** et des biscuits. Vous le méritez ! Quand il fait chaud et que les journées sont longues, ne rien faire et manger trop n'est pas aussi jouissif. Sans parler des coups de soleil ou, pire, du sable dans le maillot de bain...

BRUNCH

CONTRE

VENT

★ **Qui gagnerait** ★
un duel parmi
ces deux choses
sans aucun rapport
entre elles* ?

---

*Ces deux éléments ont été choisis de manière totalement aléatoire.

BRUNCH

Le brunch réunit les meilleurs aliments du **petit déjeuner** et du **déjeuner**. Vous pouvez effectuer un réel **voyage gastronomique** en commençant par des œufs au bacon, puis en poursuivant avec un bagel au saumon fumé, un steak, et en terminant par des fruits frais et des cookies. Encore mieux, vous pouvez boire des **Bloody Mary** ou des **Mimosas** sans aucune honte : le brunch est l'une des seules occasions où boire de l'alcool en journée est non seulement permis, mais encouragé ! Le vent, lui, n'est même pas comestible, et impossible de compter sur lui pour vous aider à cuver une gueule de bois tranquillement le **dimanche matin**.

VENT

Le vent est la **source d'énergie** du futur. C'est une alternative aux énergies fossiles peu respectueuses de **l'environnement**. Rien ne vide mieux l'esprit et ne remet mieux les idées en place qu'une légère brise par une belle journée d'été. Et puis le vent est indispensable pour faire du **kite surf** ! Ce n'est pas un brunch qui soulèvera la voile, n'est-ce pas ? En plus, n'importe quel diététicien vous le dira, ce n'est pas très bon pour la santé de bruncher. Si vous voulez perdre du poids, il est préférable de faire plusieurs repas légers plutôt qu'un seul gargantuesque. Je prendrai donc un petit déjeuner et un déjeuner séparés, merci. Puis j'irai asseoir mes petites fesses fermes dans un champ et j'apprécierai le **souffle** léger du vent.

POUR ALLER PLUS LOIN

Louis Pasteur *contre* Tom Hanks

Des billes *contre* Des kangourous

La soustraction *contre* L'odeur de l'herbefs

REMERCIEMENTS

Je remercie Lindsay Herman pour sa patience et son talent incroyables, et pour avoir fait plein de choses à ma place. Merci à Quirk, et en particulier à Sharyn Rosart, Lynne Yeamans et Erin Canning. Merci également à Greg Chaput et Chris Barsanti qui ont retiré les mauvaises herbes glissées entre mes mots. Je remercie chaleureusement Eric Immerman et Paul Katz pour leur contribution. Enfin, je remercie particulièrement ma maman et ma femme Marisa, pour tout, et surtout pour savoir rester calmes pendant les tempêtes. Vous êtes les meilleures.

À PROPOS DE L'AUTEUR

Justin Heimberg écrit des livres, des scripts d'émissions télévisées, des scénarios de films, des articles de magazines, des chansons, des jeux et des comédies musicales sur la vie de ses amis. Il est directeur artistique et cofondateur de Seven Footer Entertainment (sevenfooterpress.com), une entreprise médiatique spécialisée dans l'humour, les jeux et les produits innovants destinés aux enfants. Il écrit actuellement pour la série *The Cleveland Show* diffusée sur la chaîne américaine Fox. Il vit avec sa femme Marisa et ses deux chats, Randall Jones et Harriet Tuftman.

Mise en page : Domino
Imprimé en Italie par Legos Lavis
pour le compte des éditions Marabout
Dépôt légal : Août 2010
ISBN 13 : 978-2-501-06490-3
40.5371.6
Édition 01